中国电子信息工程科技发展研究

大科学装置专题

中国信息与电子工程科技发展战略研究中心

科学出版社

北 京

内 容 简 介

　　大科学装置现已成为世界各国抢占未来科技竞争制高点的"国之重器",其不仅展示了一个国家科研基础设施水平和高端装备制造能力的高低,而且还标志着一个国家最为核心的原始创新力的强弱。

　　本书首先简要介绍了大科学装置的概念和定义、产生及发展、特征和分类、意义和目的;然后重点描述了部分欧美大科学装置的概况,并总结了国外大科学计划的经验启示;其次深入梳理了我国大科学装置的发展历程和现状概况,找出了国内大科学装置存在的问题及差距;最后对我国大科学装置未来发展进行展望。

　　本书主要面向大学本科生和研究生,以及对大科学装置感兴趣的教师、科技工作者以及工程科技人员。

图书在版编目(CIP)数据

中国电子信息工程科技发展研究. 大科学装置专题/中国信息与电子工程科技发展战略研究中心编著. —北京:科学出版社,2023.5
ISBN 978-7-03-075493-6

Ⅰ. ①中… Ⅱ. ①中… Ⅲ. ①电子信息-信息工程-科技发展-研究-中国 Ⅳ. ①G203

中国国家版本馆 CIP 数据核字(2023)第 079465 号

责任编辑:赵艳春 / 责任校对:胡小洁
责任印制:吴兆东 / 封面设计:迷底书装

科 学 出 版 社 出版
北京东黄城根北街 16 号
邮政编码:100717
http://www.sciencep.com

北京虎彩文化传播有限公司 印刷
科学出版社发行　各地新华书店经销

*

2023 年 5 月第 一 版　开本:890×1240 1/32
2023 年 5 月第一次印刷　印张:4 3/8
字数:105 000

定价:88.00 元
(如有印装质量问题,我社负责调换)

《中国电子信息工程科技发展研究》指导组

组　长：

　　吴曼青　费爱国

副组长：

　　赵沁平　余少华　吕跃广

成　员：

　　丁文华　刘泽金　何　友　吴伟仁

　　张广军　罗先刚　陈　杰　柴天佑

　　廖湘科　谭久彬　樊邦奎

顾　问：

　　陈左宁　卢锡城　李天初　陈志杰

　　姜会林　段宝岩　邬江兴　陆　军

《中国电子信息工程科技发展研究》工作组

组　长：

　　余少华　　陆　军

副组长：

　　党梅梅　　曾倬颖

国家高端智库

中国信息与电子工程科技发展战略研究中心
CHINA ELECTRONICS AND INFORMATION STRATEGIES

中国信息与电子工程科技
发展战略研究中心简介

中国工程院是中国工程科学技术界的最高荣誉性、咨询性学术机构，是首批国家高端智库试点建设单位，致力于研究国家经济社会发展和工程科技发展中的重大战略问题，建设在工程科技领域对国家战略决策具有重要影响力的科技智库。当今世界，以数字化、网络化、智能化为特征的信息化浪潮方兴未艾，信息技术日新月异，全面融入社会生产生活，深刻改变着全球经济格局、政治格局、安全格局，信息与电子工程科技已成为全球创新最活跃、应用最广泛、辐射带动作用最大的科技领域之一。为做好电子信息领域工程科技类发展战略研究工作，创新体制机制，整合优势资源，中国工程院、中央网信办、工业和信息化部、中国电子科技集团加强合作，于 2015 年 11 月联合成立了中国信息与电子工程科技发展战略研究中心。

中国信息与电子工程科技发展战略研究中心秉持高层次、开放式、前瞻性的发展导向，围绕电子信息工程科技发展中的全局性、综合性、战略性重要热点课题开展理论研究、应用研究与政策咨询工作，充分发挥中国工程院院士，国家部委、企事业单位和大学院所中各层面专家学者的智力优势，努力在信息与电子工程科技领域建设一流的战略思想库，为国家有关决策提供科学、前瞻和及时的建议。

《中国电子信息工程科技发展研究》
编写说明

当今世界，以数字化、网络化、智能化为特征的信息化浪潮方兴未艾，信息技术日新月异，全面融入社会经济生活，深刻改变着全球经济格局、政治格局、安全格局。电子信息工程科技作为全球创新最活跃、应用最广泛、辐射带动作用最大的科技领域之一，不仅是全球技术创新的竞争高地，也是世界各主要国家推动经济发展、谋求国家竞争优势的重要战略方向。电子信息工程科技是典型的"使能技术"，几乎是所有其他领域技术发展的重要支撑，电子信息工程科技与生物技术、新能源技术、新材料技术等交叉融合，有望引发新一轮科技革命和产业变革，给人类社会发展带来新的机遇。电子信息工程科技作为最直接、最现实的工具之一，直接将科学发现、技术创新与产业发展紧密结合，极大地加速了科学技术发展的进程，成为改变世界的重要力量。电子信息工程科技也是新中国成立 70 年来特别是改革开放 40 年来，中国经济社会快速发展的重要驱动力。在可预见的未来，电子信息工程科技的进步和创新仍将是推动人类社会发展的最重要的引擎之一。

把握世界科技发展大势，围绕科技创新发展全局和长远问题，及时为国家决策提供科学、前瞻性建议，履行好国家高端智库职能，是中国工程院的一项重要任务。为此，中国工程院信息与电子工程学部决定组织编撰《中国电子信息工程科技发展研究》(以下简称"蓝皮书")。2018 年 9 月至今，编撰工作由余少华、陆军院士负责。"蓝皮书"分综合篇和专题篇，分期出版。学部组织院士并动员各方面专家 300 余人参与编撰工作。"蓝皮书"编撰宗旨是：分析研究电子信息领域年度科技发展情况，综合阐述国内外年度电子信息领域重要突破及标志性成果，为我国科技人员准确把握电子信息领域发展趋势提供参考，为我国制定电子信息科技发展战略提供支撑。

"蓝皮书"编撰指导原则如下：

(1) 写好年度增量。电子信息工程科技涉及范围宽、发展速度快，综合篇立足"写好年度增量"，即写好新进展、新特点、新挑战和新趋势。

(2) 精选热点亮点。我国科技发展水平正处于"跟跑""并跑""领跑"的三"跑"并存阶段。专题篇力求反映我国该领域发展特点，不片面求全，把关注重点放在发展中的"热点"和"亮点"问题。

(3) 综合与专题结合。"蓝皮书"分"综合"和"专题"两部分。综合部分较宏观地介绍电子信息科技相关领域全球发展态势、我国发展现状和未来展望；专题部分则分别介绍 13 个子领域的热点亮点方向。

5 大类和 13 个子领域如图 1 所示。13 个子领域的颗粒度不尽相同，但各子领域的技术点相关性强，也能较好地与学部专业分组对应。

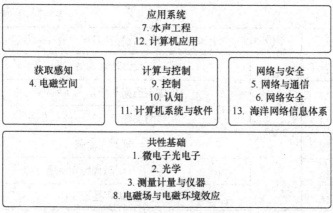

图 1 子领域归类图

前期，"蓝皮书"已经出版了综合篇、系列专题和英文专题，见表 1。

表 1 "蓝皮书"整体情况汇总

序号	年份	中国电子信息工程科技发展研究——专题名称
1		5G 发展基本情况综述
2		下一代互联网 IPv6 专题
3		工业互联网专题
4		集成电路产业专题
5	2019	深度学习专题
6		未来网络专题
7		集成电路芯片制造工艺专题
8		信息光电子专题
9		可见光通信专题
10	大本子	中国电子信息工程科技发展研究（综合篇 2018—2019）

续表

序号	年份	中国电子信息工程科技发展研究——专题名称
11	2020	区块链技术发展专题
12		虚拟现实和增强现实专题
13		互联网关键设备核心技术专题
14		机器人专题
15		网络安全态势感知专题
16		自然语言处理专题
17	2021	卫星通信网络技术发展专题
18		图形处理器及产业应用专题
19	大本子	中国电子信息工程科技发展研究（综合篇 2020—2021）
20	2022	量子器件及其物理基础专题
21		微电子光电子专题
22		光学工程专题
23		测量计量与仪器专题
24		网络与通信专题
25		网络安全专题
26		电磁场与电磁环境效应专题
27		控制专题
28		认知专题
29		计算机应用专题
30		海洋网络信息体系专题
31		智能计算专题

从 2019 年开始，先后发布《电子信息工程科技发展十四大趋势》和《电子信息工程科技十三大挑战》（2019 年、2020 年、2021 年、2022 年）4 次。科学出版社与 Springer 出版社合作出版了 5 个专题，见表 2。

表 2　英文专题汇总

序号	英文专题名称
1	Network and Communication
2	Development of Deep Learning Technologies
3	Industrial Internet
4	The Development of Natural Language Processing
5	The Development of Block Chain Technology

相关工作仍在尝试阶段，难免出现一些疏漏，敬请批评指正。

中国信息与电子工程科技发展战略研究中心

前　言

　　大科学装置让人类突破自然极限和科研瓶颈得以实现，使人类在宏观、微观及复杂性方面对事物的认知逐步加深。尤其从 20 世纪中叶开始，大科学装置在科研中的巨大作用逐渐显现。现代尖端科学研究想要取得关键突破和重大成果大多以此作为必要条件，而且其能够提高国家的自主创新力，支撑国家综合科技实力的全面提升，极大地推动经济社会发展和保护国家安全。此外，大科学装置还是国际合作和人才培养的重要平台，是支持科学研究和技术发展的战略性资源，对国家发展而言意义重大。

　　当前，我们国家正处于加紧实现科技自立自强、建设科技强国的关键时期，通过强化国家战略科技力量彻底摆脱"卡脖子"的技术困境，是掌握战略主动权、构建新发展格局的必由之路。大科学装置作为科技基础设施聚焦国家战略，针对国家"四个面向"开展基础科学研究、共性关键技术研发以及科技资源共享等科技创新活动，是我国创新生态体系中不可或缺的组成部分，也是国家战略科技力量的重要支撑。

　　为了反映国内外大科学装置领域科技发展现状和最新发展态势，本书首先简要介绍了大科学装置的概念和定义、产生及发展、特征和分类、意义和目的；然后重点描述了部分欧美大科学装置的概况，并总结了国外大科学计划的经验启示；其次深入梳理了我国大科学装置的发展历程和现状概况，找出了国内大科学装置存在的问题及差距；最后对我国大科学装置未来发展进行展望。

来自鹏城实验室、中国信息通信科技集团有限公司(武汉邮电科学研究院)、国家信息光电子创新中心、中国信息通信研究院、中国电子科技集团公司、中国科学院、中国工程院等单位的专家参与了本次研究工作，在此一并表示深深的敬意和衷心的感谢！

目　录

第1章　大科学装置简介

1.1　概念和定义

"大科学"(Large Science，Big Science，Mega science)是近年来在全球科技界兴起的一个新概念，目前还没有统一定义。与传统研究相比，其特点主要是投资强度高、跨领域多学科、需要费用昂贵且复杂的实验平台和雄心勃勃的研究目标等。依据大科学装置和工程目标将大科学研究分为两类：一是具有工程特征的大科学研究，需要在设施建设、运行和维护方面投入较大的资金，可称为"大科学工程"，包括前期研究论证、中期设计施工、后期运行维护等一系列研发活动。这些重大科学工程主要包括欧洲核子研究中心大型强子对撞机项目、国际空间站项目、卡西尼卫星探测项目、双子望远镜项目等，这些大科学装置是众多学科创新研究不可或缺的技术手段。二是需要多学科交叉合作的大型前沿科研项目，其紧紧围绕一个共同的总体研究目标，多国专家学者以统一组织、分工协作和相对分散的"分布式"方式进行研究，代表性的此类科研项目包括人类基因图谱计划项目、全球气候变化研究项目等。

国家重大科技基础设施是一个庞大而复杂的科研设备或平台，其为解密未知世界、探索自然规律和促进技术变革提供了极限和独特的研究手段，通常被称为"科学重器"。

它是突破科技前沿、长期服务高水平科研活动、化解经济社会发展以及国家安全领域重大科技难题的物质基础和技术手段，一般由国家针对重大科学问题统一规划，并依托高水平创新主体建设。国家重大科技基础设施是具有显著国际影响力的公共科研平台和基地，对全社会开放共享，其发展状况是评价国家综合科研水平及实力的重要指标。重大科技基础设施的概念由"大科学装置"演变而来，英文全称是"Large-scale Scientific Facility"。随着科学研究的进步，大科学装置的含义也随之扩大。近些年，部分国家采用了"Large Research Infrastructures"的名称替代，译为"大型研究基础设施"。大科学和大科学装置的概念如图 1-1 所示。

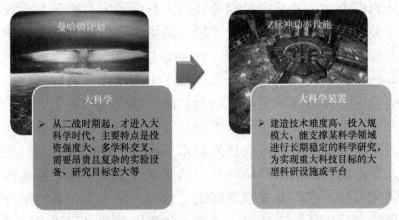

图 1-1 大科学和大科学装置的概念

大科学装置是指建造技术难度高、投入规模大，能支撑某科学领域进行长期稳定的科学研究活动，为实现重大科技目标的大型科研设施或平台。古人云："工欲善其事，必先利其器。"科学研究作为高度复杂的专业性工作，它需要借助于先进的科学仪器设备或系统平台，可以说大科学装置，就相当于是对人类眼睛、耳朵、手观测能力的延伸。大科学装置建设可以大大增强人类解锁自然奥秘的能力，积极推进前沿基础研究和综合跨界探索，为国家前沿技术领先和关键技术突破提供物质基础和平台手段。其目标是针对国家"四个面向"做出前瞻性、战略性、基础性的支撑贡献。国际上，以"曼哈顿计划"和"阿波罗登月计划"为代表的"大科学工程"开创了新的科研模式；而国内，以"两弹一星"工程为基础，建成了北京正负电子对撞机、兰州重离子加速器等我国首批大科学装置。因此，大科学装置俨然成为全球各国抢占未来科技竞争制高点的"国之重器"。

1.2 产生及发展

大科学装置产生于第二次世界大战时期的美国，它体现了科学技术与国家安全之间的紧密联系。为打赢反法西斯战争，美国实施了"曼哈顿计划"，在计划实施期间，建造了多个核反应堆和加速器作为配套设施。曼哈顿计划之后，未关闭的反应堆和加速器等装置形成了长期运行的大型科研基础设施，支持美国核能发展以及核物理、粒子物理研究。二战后的冷战时期，在综合国力的竞争中，美苏相继实施了人造卫星、载人航天、阿波罗计划等大科学工程，产生了一系列大型空地接收、发射、观测和实验的大科学装置。从此，人类从二战前的"小科学时代"步入到二战后的"大科学时代"。大科学装置与国家实验室的产生及发展如图 1-2 所示。

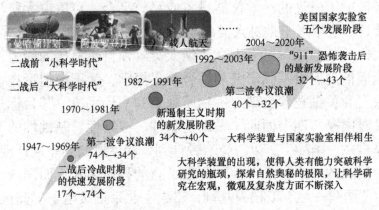

图 1-2　大科学装置与国家实验室的产生及发展

伴随着科学技术的迅猛发展，研究的领域不断拓展、规模不断扩大、内容不断深入，科学研究所依赖的实验条件要求更加苛刻。为满足现代科学研究所需的更高能量、更大密度、更短时间、更高强度的极端实验条件，大科学装置应运而生。从历史上来看，在 1950 年之前，用大科学装置获得诺贝尔奖的只有 1 项；到了 20 世纪 70 年代，有 40% 的诺贝尔物理学奖成果都是依托大科学装置实现的；到了 1990 年以后，48% 的诺贝尔物理学奖主要是应用大科学装置来取得的。尤其是 21 世纪以来，有 20 多项诺贝尔物理学奖都来自于重大科技基础设施相关的工作。大科学装置的出现，使得人类有能力突破科学研究的瓶颈，探索自然奥秘的极限，让科学研究在宏观、微观及复杂度方面不断深入，从而不断获得重大发现。现代尖端科学研究想要取得关键突破和重大成果大多以此作为必要条件，而且其能够提高国家的自主创新力，支撑国家综合科技实力的全面提升，极大地推动经济社会发展和保护国家安全。此外，大科学装置还为全球各国之间的科技交流合作提供了重要平台，是支持科学研究和技术发展的战略性资源，大科学装置的建设及运行大力推动了相关高新技术领域的技术进步，对体现国家科研实力和创新能力而言意义重大。

1.3　特征和分类

实验装置大、占地面积广、经费投入大、科技人员多、得到政府大力支持是各国大科学装置的共有特征。大科学装置作为"科技航母"在全球科研体系中扮演着关键角色，直接催生了大量原始创新和关键技术的诞生，推动了新一轮科技革命的进程，巩固了拥有国的综合科技竞争优势。

大科学装置是一个"复杂巨系统"，其建设使用既不同于普通科学仪器和装备，也异于一般的基建项目。它涵盖科学层面的理论问题、技术层面的开发问题和工程层面的产品问题，是一个跨学科、跨领域、跨层次的大科学问题，需要多单位协作和多资源集成。这些特殊点主要表现为：一是科技意义重大，影响长期且广泛，建设规模成本巨大，建设耗时耗力；二是技术综合复杂、门槛高，建设过程中需要开发一系列非标设备，具有工程技术和科学研究的双重属性；三是其不直接产生经济效益，而是输出科学知识和技术成果，建成后只有通过长期稳定运行、不断升级改造和持续不断科学研究，才能实现既定目标；四是从立项、建设到运行的全周期具有很强的开放性和国际化水平。大科学装置的共有特征如图 1-3 所示。

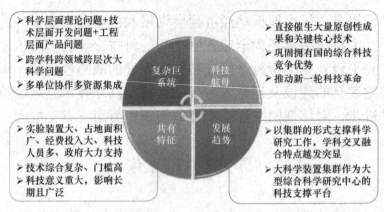

图 1-3　大科学装置的共有特征

依据不同的应用目的，大致可将大科学装置分成三种类型：一是专用研究装置，如粒子对撞机/加速器高能物理实验室设施、核物理/可控热核聚变实验装置、大型天文望远镜等为某一特定科技领域重大目标而建设的科研设施；二是公共实验平台，如同步辐射装置、中子源装置、自由电子激光装置等具有强大支撑能力、为多学科多领域基础及应用研究服务的公共实验设施；三是公益基础设施，如遥感卫星地面站、科考船、遥感飞机、长短波授时系统等为国家经济社会发展及国家安全提供重要数据的基础服务设施。

1.4　意义和目的

大科学装置是由国家投资建设，为解决基础性、战略性、前瞻性的科技问题，实现科技前沿重大突破的大型科研设施。它是国家基础设施中不可或缺的一部分，是研究基础理论及前沿科技的公共服务支撑平台。其不仅展示了一个国家科研基础设施水平和高端装备制造能力的高低，而且标志着一个国家最为核心的原始创新力的强弱。美欧日等发达经济体科技创新体系的发展实践经验说明：

大科学装置是众多现代科技领域突破创新的先决条件。科技全球竞争主要由前沿领域取得突破的能力所驱动。爱因斯坦说过："未来科学的发展无非是继续向宏观以及微观世界进军。"20世纪中叶开始，科学技术发展呈现出新态势，大科学装置在科研中的巨大作用逐渐显现，许多科学领域的进步或突破均离不开大科学装置的助力。无论从宏观层面的宇宙探索，还是到微观层面的基本粒子研究，大科学装置都帮助人类突破了认知极限，这也是世界各国大力投资建立大科学装置的驱动力所在。

大科学装置是国家安全、社会进步、经济发展所不可或缺的可靠基础设施保障。一方面，现代社会是信息社会，各类生产生活活动都要依赖于基础数据信息，否则无法想象现代社会如何正常运行。另一方面，国家建设发展对于人力、物力和自然资源的使用效率也很大程度上倚仗各种基础数据信息。大科学装置作为科技基础设施，在各种数据和信息的收集和处理上发挥着重要作用。

大科学装置聚集是世界一流大型科研基地的必备条件。美欧日发达经济体的强大科技实力正是体现在一批高水平的大型科研基地之上。它的具体特征包括：科研力量、任务和投资相对集中、成果众多，学科交叉融合，前沿新方向和重大新技术突破能力强。事实证明，这些大型科研基地都拥有全球领先的大科学装置，甚至大型科学基础设施集群，作为维持其竞争力的重要条件。

　　大科学装置也是诸多高新技术产业萌发的摇篮。大科学工程的实施能够促进相关领域高新技术及产业的发展，同时需要多学科支持，作为众多高新技术的聚合体，往往需要在大科学工程中开发新技术或把现有技术提升到新高度以实现其原创性的科技目标。这些新技术成果可以广泛地应用到其他的重大工程和产业当中，来反哺国民经济的发展。互联网技术的出现及普及，以及它对社会产生的变革性影响，就是最生动的例证之一。

　　具体针对我国而言，在新冠疫情给世界造成巨大冲击之下，全球经济社会发展更加的不确定、不稳定，突出表现为经济逆全球化、贸易保护主义、单边霸权主义等，我国经济社会可持续健康发展受到严重阻碍，也让我国在关键核心领域的科技短板暴露无遗，已严重威胁国家发展和国家安全利益。因此，强化国家战略科技力量迫在眉睫[1]。我国目前已步入对外开放"瓶颈期"和对内改革"深水区"，内外风险交织叠加，通过强化国家战略科技力量彻底摆脱"卡脖子"的技术困境，是掌握战略主动权、构建新发展格局的必由之路[2,3]。而大科学装置作为科技基础设施聚焦国家战略，针对国家"四个面向"开展基础科学研究、共性关键技术研发以及科技资源共享等科技创新活动，是我国创新生态体系中不可或缺的组成部分，也是重要的国家战略科技力量[4-6]。大科学装置的目标和定位如图 1-4 所示。

> 大科学装置是解决基础性、战略性、前瞻性的科技问题，实现科技前沿重大突破的大型科研设施，是支撑基础科学和交叉学科前沿研究的公共服务平台，是国家创新生态体系中不可或缺的组成部分

> 大科学装置集中展示了一个国家科研基础设施水平和高端装备制造能力，标志着一个国家最为核心的原始创新力的高低，也是国家战略科技力量的重要支撑

图 1-4　大科学装置的目标和定位

当前我们国家正处于加紧实现科技自立自强、建设科技强国的关键时期。习近平总书记在 2021 年两院院士大会上发表的重要讲话，指出："当前，新一轮科技革命和产业变革突飞猛进，科学研究范式正在发生深刻变革，学科交叉融合不断发展，科学技术和经济社会发展加速渗透融合。"并从广度显著加大、深度显著加深、速度显著加快、精度显著增强四个方面，深刻总结了新一轮科技革命和产业变革的特点和规律[7]。所以说科学研究范式的转变，科学创新的广度、深度、速度、精度的拓展，离不开科研仪器设备和系统平台，特别是大科学装置的有力支持[8,9]。

第 2 章　全球发展态势

2.1　国外大科学装置现状概况

　　第二次世界大战以来，科学技术日新月异，科学研究内容不断向深度及广度拓展，科研手段及方法不断向宏观及微观延伸，越来越复杂，对科学实验设施及平台需求也进一步提升。为了在物质材料、宇宙起源、生命进化等基础前沿科学领域取得突破，美日欧等全球发达国家及地区开始重视大科学装置布局，并加快其建设脚步，将其作为提升综合科技竞争力的重要举措，重金投入支持。在这一进程中，许多大科学装置聚集发展，以集群的形式支撑科学研究工作，学科交叉融合的特点越来越突显。在世界范围内逐步形成了许多大型的综合科学研究中心，这些中心都拥有大科学装置集群作为科技支撑平台，成为发达经济体科技创新能力以及综合竞争力的重要体现。所以可以预见，未来围绕重大科技基础设施的竞争和博弈将更加激烈。部分国外大科学装置概况如表 2-1 所示。

表 2-1 部分国外大科学装置概况

实验室名称	大科学装置	重大科研成果
美国阿贡国家实验室	先进光子源(APS)、纳米尺度材料中心(CNM)、阿贡串联直线加速器系统(ATLAS)、电子显微术中心(EMC)、大气辐射测量气候研究装置(ACRF)、Mira 超级计算机、强脉冲中子源等	最初是作为美国曼哈顿计划的一部分 诞生了人类第一个受控核链式反应堆(芝加哥一号堆) 恩里科·费米等三人先后获得诺贝尔物理学奖
美国布鲁克海文国家实验室	国家同步辐射光源(NSLS)、相对论重离子对撞机(RIHC)、电子束离子源(EBIS)、交互梯度同步加速器(AGS)、深紫外自由电子激光(DUV-FEL)、美国宇航局空间辐射实验室(NSRL)、功能纳米材料中心(CFN)	发现 m 中微子、J/y 粒子、太阳中微子;开创结构生物学,利用 X 射线和中子开展生物样品研究;发明用于医学的 L-多巴、锝-99m 和铊-201 放射性核元素,以及 X 射线心血管造影技术;开创强聚焦原理,其对于现代粒子加速器利用具有决定意义 7 个项目 12 人次获得过诺贝尔奖,包括杨振宁、李政道、丁肇中获奖相关的实验成果
美国劳伦斯伯克利国家实验室	先进光源(ALS)、伽马射线探测器(GRETINA)、国家电子显微术中心(NCEM)、国家能源研究科学计算中心(NERSC)、中微子望远镜、联合基因研究所(JGI)、分子铸造厂	建立起世界首批电子直线加速器,发明回旋加速器,探明一系列超重元素,开辟放射性同位素、重离子科学等研究方向 共培养了 6 位诺贝尔物理学奖得主和 4 位诺贝尔化学奖得主
美国橡树岭国家实验室	散裂中子源(SNS)、等时性回旋加速器(ORIC)、直线加速器脉冲中子源(ORELA)、高通量同位素反应堆(HFIR)、放射性离子束装置(HRIBF)、纳米相材料科学中心(CNMS)、大尺度气候模拟器(LSCS)、国家实验室先导计算设施(OLCF)	最初是作为美国曼哈顿计划的一部分,以生产和分离铀和钚为主要目的而建造 从事跨越广泛学科领域的科学研发活动,在许多领域处于国际领先地位,包括中子科学、复杂生物系统、能源、先进材料、国家安全、高性能计算和纳米技术等

实验室名称	大科学装置	重大科研成果
美国 SLAC 国家加速器实验室	直线加速器相干光源(LCLS)、直线高能电子加速器(LAC)、正负电子非对称环(SPEAR)、同步辐射光源(SSRL)、正负电子对撞机(PEP)与直线对撞机(SLC)	因发现"夸克"、"ψ"、"J/γ"和"τ"等粒子而获得多项诺贝尔物理学奖
美国洛斯阿拉莫斯国家实验室	计算机模拟核爆炸试验装置	承担"曼哈顿计划",发明世界第一颗原子弹和第一颗氢弹"原子弹之父"奥本海默、"氢弹之父"爱德华·泰勒及诺贝尔物理奖得主欧内斯特·劳伦斯
美国劳伦斯利弗莫尔国家实验室	美国国家点火装置 NIF(激光聚变装置)、超级计算机 Sequoia-Blue Gene/Q 以及 Blue Gene/L 等	发现 6 种化学元素(113 号、114 号、115 号、116 号、117 号和 118 号)
美国桑迪亚国家实验室	热核研究设施"Z 机器"X 射线发生器 Z 脉冲功率设施超级计算机 ASCI Red	参与"曼哈顿计划"核武器的非核部件研制出迄今为止最耐磨的铂金合金
美国普林斯顿等离子体物理实验室	"托克马克"核聚变试验反应堆球托 NSTX-U 实验聚变装置	参与冷战时期"马特洪峰计划"建成世界上功率最大的实验聚变装置
美国费米国家加速器实验室	万亿电子伏特加速器 Tevatron、超大型强子对撞机、μ子对撞机、开创性加速器试验装置	发现基本粒子"顶夸克"首次观测到电子冷却反质子

续表

实验室名称	大科学装置	重大科研成果
美国托马斯杰斐逊国家加速器试验场	连续电子束加速装置 CEBAF 低温恒温组超导谐振器	首次在三维状态下追踪各种粒子
美国林肯实验室	全固态、可编程数字计算机控制雷达系统、弹道导弹战略防御系统、卫星通信系统、航空器自动化控制装置(空中交通管制)、大功率激光雷达系统、陆地图像处理系统(战场监控)	半导体激光器、红外激光雷达、高精度卫星定位与跟踪、高吞吐率通用信号处理器
美国喷气推进实验室	全球深空探测网络、NuSTAR X 射线望远镜、赫歇尔太空望远镜、斯皮策太空望远镜	探险者 1 号(美国首颗人造卫星)、探测器水手 2 号(世界首颗飞掠金星)、朱诺号(木星任务)、卡西尼-惠更斯号(土星任务)、黎明号(谷神星任务)、机遇号火星车与火星侦察轨道器(火星任务)、飞向太阳系边缘的旅行者姊妹号等
欧洲核子研究中心	质子同步加速器(PS)、超级质子同步加速器(SPS)、反质子积累器(AA)、低能反质子环(LEAR)、反质子收集器(AC)、反质子减速器(AD)、大型正负电子对撞机(LEP)、大型强子对撞机(LHC)、直线正负电子对撞机(CLIC)与超导质子直线加速器(SPL)正在研制中	研究出各种粒子的辐射特性,开辟出质子治疗方法对于癌症进行高精度低辐射治疗,除了获得 6 项诺贝尔奖外,还是环球网 WWW(World Wide Web)的发源地

续表

实验室名称	大科学装置	重大科研成果
德国电子同步加速器研究所	电子同步加速器(DESY)、正负电子双储存环(DORIS)、正负电子储存环(PETRA)、地下强子电子环加速器(HERA)、TeV能级的超导直线加速器(TESLA)	开创粒子物理实验探测到"粲物理激发态",重夸克物理诞生首次开展X射线光刻实验,深X射线光刻诞生首次发现"胶子"
法国格勒诺布尔科学中心	欧洲同步辐射装置(ESRF)和劳厄-朗之万研究所(ILL)的高通量核反应堆(RHF)	开发出了可用于过滤垃圾、精炼溶剂、清洗剂、石油工业催化剂等多种工业用途的多孔沸石,类似于蜘蛛丝结构的轻质高弹性高强度工业材料,基于顶层结构改良的新一代高性能电子器件等
英国哈威尔科学和创新园	DIAMOND光源、全球最大脉冲散裂中子源(ISIS)、中央激光设施(CLF)、第4代光源(4GLS)、新光源(NLS)	确定F1 ATP(三磷酸腺苷)酶结构(获1997年诺贝尔化学奖);解析出手足口病病毒结构,并成功研制预防疫苗;研制出抗流感药物乐感清;开发抗流感药物达菲;使用强X射线检测金属疲劳,改善飞机涡轮和机翼的素质,大大减少航空事故
瑞士保罗谢勒研究所	连续波散裂中子源(SINQ)、瑞士同步辐射光源(SLS)、连续束流缪介子源(SµS)、相干X射线光源(SwissFEL)	开创质子治疗恶性肿瘤,发明世界第一台质子调强的点扫描治疗头,开发全球首个操作质子束照射深部肿瘤的紧凑型扫描台架
日本高能加速器研究机构	质子同步加速器(PS)、光子工厂(PF)、脉冲散裂中子装置(KENS)、可转移对撞型储存环加速器(TRISTAN)、非对称正负电子对撞机(KEKB)、共建质子同步加速器(J-PARC)、加速器试验装置(ATF)、光子工厂先进环(PF-AR)	模拟特殊环境对农作物品种进行试验改良、对不同环境下生命体征进行研究,开发出疑难病症的新治疗方法;空间环境探测应用于遥感影像和气候研究等领域,使之更好地监测和预报自然灾害,避免带来巨大损失

实验室名称	大科学装置	重大科研成果
日本同步辐射研究机构	日本大型同步辐射光源 SPring-8 是全球能量最高的第三代同步辐射光源。日本 SPring-8 与美国阿贡国家实验室的先进光子源 APS、法国格勒诺布尔的欧洲同步辐射光源 ESRF 同为世界三大高能(电子束能量超过 5GeV)大型同步辐射设施	揭开水分子的神秘结构和运动模式的秘密；发展强韧如铁的通用塑材；在陨石上发现新型磁性材料；利用纳米技术成功研制全固态安全电池；新型口香糖 Pos-Ca 有效预防蛀牙；抗流感病毒的新药研发；通过分析彗星尘埃揭示太阳系形成的秘密；纳米技术推动"新材料"的创新；从分子水平解析自我组装的凝胶机制

　　国际上典型的大科学装置管理模式分为两类，即美国国家实验室模式和欧洲多国共建共管模式。主要由单一国家建设运行的大科学装置通常依托其成立国家实验室，美国能源部下属的多个装置型国家实验室就是这种管理模式的主要代表。随着大科学装置探究问题不断深入，建设规模不断扩大，投入经费不断提高，较为普遍采取的策略是通过国际合作方式对大科学装置共同出资和共享管理。此模式在欧洲得以推广，国际合作的成功案例——欧洲核子研究中心(European Organization for Nuclear Research，CERN)的管理机构就是由法国、德国、希腊、意大利、英国、瑞士等 20 多个成员国组成。

2.2　部分美国大科学装置介绍

　　国家实验室从创建之初就充分展现了美国的国家意

志，聚焦于联邦政府所赋予的重要使命及职责，长期服从并服务于国家重大战略目标。其主要定位于从事"长期性、战略性、公共性、敏感性"的高度先进、高风险的战略必争研究领域，包括：①重要的基础前沿科学研究，例如能源、航空航天、信息通信、国防安全等领域关系国家综合竞争力的战略性技术高地。②未来先导性、开创性技术研究，诸如产业通用技术和共性关键技术，颠覆性和开创性技术、重大科技创新平台及设施等。这些领域具有长远、风险高、难度大的特点，完全由市场机制无法解决，必须依靠国家持续投入和组织实施，才能保证相关研究及开发的连续稳定性。在特朗普政府公布的 2018 年联邦科技资助蓝图中，将军事技术、国土安全、经济繁荣、能源优势、人民健康列为 5 大优先投资领域。美国国家实验室的布局领域如图 2-1 所示[10]。

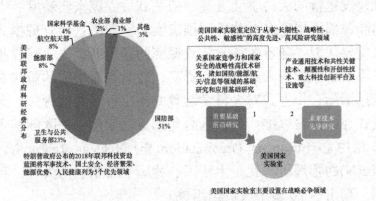

图 2-1　美国国家实验室的布局领域图

美国国家实验室体系分别由联邦政府的 11 个部门进行资助，包括能源部(DOE)、国家科学基金会(NSF)、国防部(DOD)、国家航空航天局(NASA)、国立卫生研究院(NIH)、商务部(DOC)、卫生与公共服务部(DHHS)等；此外，另有 5 个私营机构下属的实验室也被纳入到国家实验室范畴。一般认为，美国国家实验室的管理主要分为国有国营 GOGO(Government-Owned and Government-Operated)、国有民营 GOCO(Government-Owned and Contractor-Operated)和民有民营 COCO(Contractor-Owned and Contractor-Operated)三种模式，其中绝大多数属于 GOGO 或 GOCO 这两种类型。美国国家实验室的体系结构如图 2-2 所示。

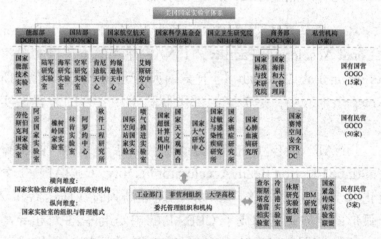

图 2-2　美国国家实验室的体系结构图

在美国，能源部是最主要的国家实验室资助及管理部门，旗下拥有 17 家国家实验室以及 30 多个大科学装置。能源部下属的国家实验室是核物理及高能物理技术领域全球首屈一指的综合研究机构，其作为不可缺少的重要战略科技力量支撑美国参与大国竞争。能源部旗下基于大科学装置建立了 10 个极为重要的装置型国家实验室，例如托马斯杰斐逊国家加速器试验场、费米国家加速器实验室、SLAC 国家加速器实验室等。能源部下属的国家实验室主要由高校、企业或非营利组织运营，即国有民营(GOCO)的管理模式。GOCO 模式最大限度地为国家实验室运营方提供施展其成熟管理经验的舞台，并作为产业界与学术界之间的桥梁促进双方的交流融合，同时通过开放共享具有设备优势的大科学装置，吸引世界顶尖学者参与大科学工程。

2.2.1　托马斯杰斐逊国家加速器装置

基于托马斯杰斐逊国家加速器装置(Thomas Jefferson National Accelerator Facility，TJNAF)建立的杰斐逊实验室(Jefferson Lab)或 JLab 位于美国弗吉尼亚州纽波特纽斯(Newport News)，是美能源部下属科学局管理的装置型实验室[11]。

TJNAF 最核心的部分是连续电子束加速装置(Continue Electron Beam Accelerator Facility，CEBAF)，1 个极化电子源、1 对长约 1400m 的超导高频直线加速器和 2 个弧形的导向磁铁构成了 CEBAF 的主要组件。1 对超导高频直线加速器与 2 个弧形的导向磁铁首尾相连，构成环状，当电子束在轨道上连续加速 5 周后，其能量最高可达 6 GeV。与欧洲核子中心以及费米国家加速器实验室的传统环形加速器不同，CEBAF 的设计类似于标准的田径跑道。从某种意义上说，CEBAF 类似于一个折叠后的直线加速器。托马斯杰斐逊国家加速器装置的构成如图 2-3 所示。

1. 中央氦液化器
2. 实验厅控制室及办公楼
3. 东弧段
4. 实验厅A
5. 实验厅B
6. 实验厅C
7. 自由电子激光装置
8. A厅运输斜坡
9. B厅运输斜坡
10. C厅运输斜坡
11. 注入器
12. 机器控制中心MCC
13. MCC附属
14. MCC附属Ⅱ
15. 北出入大厅
16. 北直线加速器
17. 存储区
18. 南出入大厅
19. 南直线加速器
20. VEPCO变电站
21. 西弧段

图 2-3　托马斯杰斐逊国家加速器装置组成示意图

CEBAF 的一个显著特点是电子束的连续性质，允许电子束连续而不是典型的环形加速器的脉冲束流(有某种脉冲结构，但脉冲很短)，电子束射向 3 个靶，束团长度小于2ps。另一个显著的特点是采用超导高频技术，用液氦将铌大约冷却到 4K(-452.5°F)消除电阻，使能量最有效地传送到电子。为了实现这一目标，JLab 拥有世界上最大的液态氦储冷罐，是实现超导高频技术最早的大规模器械之一。加速器建在距离地表面约 25 英尺的地下，加速器隧道的墙壁厚 2 英尺。

1995 年 CEBAF 加速器成功出束运行并开始实验，其自身以及探测系统和高密极化靶等实验设备都具有特殊的优越性能。系统高亮度有助于提高实验的精度高、周期短、内容丰富，研究课题覆盖范围广。3 个实验大厅每年可完成约 10～15 个大型实验；高性能束流辅以高精度谱仪，使得实验结果一般都有较为明确的结论。

CEBAF 是一种超导回旋电子加速器，能量最大可达 6GeV，在 1～6GeV 之间可以有 1.2、2.4、3.6、4.8 和 6GeV 五个离散能量的连续束流；高达 80 的电子极化率；束斑小于 50m 的良好聚焦性；3 个实验厅可同时获得束流供给。主备两套装置同时监测束流的强度、极化度、斑点大小及位置等参数。基于 CEBAF 连续束流的特性，保证其亮度相比别的加速器高出 3 个数量级以上。每一次循环，束流都通过两个直线加速器，但通过一组不同的弯转磁铁。

束流最终引到 3 个实验大厅 A、B 和 C。每个大厅都有一个独特的谱仪，记录电子束和固定靶之间的对撞结果，便于科学家们研究原子核的结构，特别是构成质子和中子的夸克间的强相互作用。

当靶中的原子核被束流的电子击中后，"相互作用"或"事例"发生，散射粒子进入实验大厅。每个大厅都包含数组粒子探测器，跟踪事件所产生的粒子的物理特性。该探测器实现由模拟到数字的转换、时间到数字的转换以及脉冲计数到数字值电脉冲的转换。这些数字数据必须收集和储存，以便物理学家们可以在以后分析数据和重建发生的物理过程。执行此任务的电子学及计算机系统称为数据采集系统。

A 实验厅有两个高分辨率谱仪和小角度磁体以及高密度极化靶。谱仪具有高动量分辨率，且可在可转动的轨道上移动，因而可以在不同的角度上测量散射电子。连续束流叠加高密度靶，确保了高统计精度的实验数据。B 实验厅有大接收度的谱仪电磁量能器，主要用于探测光子，测量由电子、光子引起反应的产物。C 实验厅有两个谱仪和高密靶以及一些特殊设备，束流亮度高，支持介子核等研究课题。

由于 CEBAF 有三个互补性的实验同时进行，所以 3 个数据获取系统应尽可能相似，以便物理学家从一个实验迁移到另一个实验时能够有一个类似熟悉的实验环境。为此，一个由聘请专家组成的数据采集小组为所有三个大厅开发了一个共用的系统，即 CEBAF 在线数据获取系统。CEBAF 在线数据获取系统是一套软件工具和推荐的硬件，以促进核物理实验的数据获取系统。在核物理与粒子物理实验中，粒子轨迹由数据获取系统数字化，但探测器能够产生大量可能的测量结果或"数据通道"。

2004 年 4 月，JLab 获批美国能源部对 CEBAF 的升级项目，该项目原计划耗资 2.25 亿美元，后来增加到 3.1 亿美元。该升级项目计划将 CEBAF 的最高能量翻一倍，由原来的 6GeV 提升到 12GeV，除此之外，还将升级计算能力以及新建第 4 个实验大厅 D 用以进行 GlueX 粒子物理实验。CEBAF 12GeV 升级改造示意如图 2-4 所示。

12GeV 升级改造是核物理界深入了解未知领域的一个特有机会。研究人员第一次能够探索强相互作用系统中夸克和胶子的结构，并确定用于支撑强相互作用理论的量子色动力学是否全面和完整地描述了强子(3 夸克)系统。12GeV 升级改造项目将对强子物质——构成世界上一切东西的物质做出具有深远意义的贡献。12GeV 的研究项目将在以下 5 个主要领域取得突破：①通过寻找奇异介子(在奇

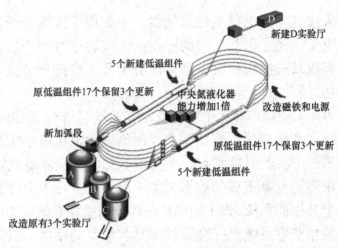

图 2-4　CEBAF 12GeV 升级改造示意图

异介子中,胶子是其结构不可回避的部分),研究人员将探索量子色动力学的复杂真空结构和色禁闭(也称夸克禁闭)的性质。②通过对隐藏在核子中位的作用而提出的宇称不守恒极高精度研究,科学家们能够探索超越标准模型能量范围的物理现象。③该机器的亮度、负载因数和运动范围的结合将远远超过以往可提供的任何条件,使核物理学界能够看到以前不可能看到的自旋和价部分子分布,质子的核心量子数在此确定。④研究人员将能够彻底了解原子核的结构,研究价夸克结构如何在一个密集的核介质中进行改变。这些研究将奉献给世界对原子核结构更深层和更基本的了解,对所有核物理和核天体物理研究具有深远的意义。⑤一般的部分子分布将使研究人员首次从事核断层扫描,发现核子的真实三维结构。

　　由于 CEBAF 现有的功能,12GeV 的升级非常符合成本效益。超导高频直线加速器包括有超导铌腔,在加速梯度和 Q 设计参数平均 50%以上运行。这项技术的成功开辟了一个相对简单、CEBAF 最高能量升级不太昂贵的可能性。由于 CEBAF 隧道的空间充足，这个目标也成为可能。隧道的设计使磁弧可容纳多达 24GeV 的电子束。CEBAF 12GeV 升级改造计划 2005 年完成概念设计，2007 年开工建设，直到 2015 年才建成运行。CEBAF 的改进将使其以世界各地其他实验室不能达到的精度对夸克展开观测。

为了提高对约束的了解，新的 D 实验大厅将利用电子束产生相干韧致辐射束流，安装一台大接受度螺线管探测器 GlueX。这是一项用来将粒子物理实验推向极限的实验，并期待回答有关微小夸克的一系列重大问题，这些夸克构成宇宙中的大量物质。该项目在 20 世纪 90 年代中期开始时，只有少数的核物理学家参与，现在已发展成为一个有 7 个国家 25 个研究机构的 100 位科学家参与的国际合作项目。

GlueX 实验的独到之处在于它需要使用相对低能量的电子束(与其他一些例如费米国家加速器实验室装置的能量达 TeV 级相比，GlueX 只需要 12GeV)。但这正是质子与中子展示其内部结构所需的能量。研究人员将电子束穿过一个菱形的透镜，使其发射出一个光子束，这种光子束能够激发氢原子核中的夸克形成例外重介子——这是一种以前从未观察到的粒子，它能够阐释许多有关夸克的未解之谜，例如，为什么它们总是成对或以 3 个或 5 个为一组地出现，以及它们是如何在质子周围禁闭的空间内飞速运转的[12]。

2.2.2 万亿电子伏特加速器

费米国家加速器实验室是美国首屈一指且在全球仅次于欧洲核子研究中心的高能物理研究机构。设立该实验室是为了探索以各种粒子形式存在的微观世界，解析整个宇宙的形成及运行，认知能量和物质的基本属性等。实验室建设运行了多个加速器大科学装置以支撑高能物理相关领域的探索研究，万亿电子伏特加速器(Tevatron)正是其中独一无二的存在[13]。

Tevatron 于 1983 年 8 月在芝加哥周边开工建设，项目最核心的部分是投资 1.2 亿美元建成的质子与反质子对撞机，使其成为当时全球最强粒子加速器。其工作原理是在约 6.28km 长的圆形轨道上放置千余个超导磁铁构成加速器，质子和反质子束流从相反方向输入真空管并被加速至 99.99999954%光速，并在 2 个不同位置的五千吨级探测器的中心对撞，近乎光速的高能束流碰撞会产生许多"碎片"——快速衰变的全新亚原子粒子，研究者们通过这些粒子可以深入探究物质在最小尺度的结构、空间及时间，还可以模拟出宇宙大爆炸早期的情形。

高能物理领域的研究离不开加速器这样的必备工具，尤其是能够使反向旋转的粒子束流碰撞的大型对撞机。在欧洲大型强子对撞机问世之前，美国费米国家加速器实验室的万亿电子伏特加速器是全球最高能量的对撞机。世界绝大部分高能物理学家们想要开展实验研究都必须和具备加速器大科学装置的实验室合作。

Tevatron 位于地面 25 英尺以下。在该加速器内，粒子束流穿过一个大部分由超导磁铁环绕的真空管道。各类磁铁的组合使束流按大的圆形弯转。Tevatron 共有 1000 多块超导磁铁，超导磁铁比常规磁铁产生更强的磁场，工作在华氏-450°，磁铁内的电缆没有电阻，传导大量的电流。特大的磁力可将粒子加速到更高的能量。

　　Tevatron 由加速器链和探测装置两大部分组成。其中 Tevatron 加速器链由多级加速器组成：750keV 的预注入器、200MeV 的直线加速器、8GeV 的增强器和 500GeV 的主加速器。预注入器也叫高压倍加器，是用来产生质子束流的低能强流加速器。质子从这里开始加速，把从离子源中引出的负氢离子加速到 750keV。直线加速器产生带负电的氢离子是产生质子和反质子束流的第一步。费米实验室的第一个直线加速器建于 1971 年，最初加速粒子高达 200MeV。1993 年进行了升级，由 9 个加速节组成，长约 500 英尺，可将预注入器中产生的带负电的离子加速到 400MeV，或大约光束的 70%。束流从直线加速器出来，经中能输运段进入增强器。位于地下约 20 英尺的增强器是一个环型加速器，进入增强器的离子要穿过碳箔，碳箔从氢离子中去掉电子，产生带正电子的质子。增强器利用磁铁使质子束流在圆形轨道中弯转，围绕增强器运行 20000 次。每一圈中它们都在高频腔中经历一个来自电场的加速力，当加速周期结束时，质子的能量被加速到 8GeV，然后引出束流向主加速器注入。主注入器具有以下功能：①加速质子能量从 8GeV 提升至 150GeV；②生成 120GeV 质子，用于反质子的生成；③反质子源发出的反质子能量被加速到 150GeV；④质子和反质子同时被注入 Tevatron 以产生碰撞。反质子的产生得益于主注入器将 120 GeV 的质子送入反质子源并使其与镍靶对撞，碰撞生成许多包含反质子在内的广范围次级粒子。收集、聚焦并积蓄在储存环内的反质子不断累积和冷却，当生成的反质子数量足够多时，束流经过返航器再次冷却和累积后注入 Tevatron 加速器。主注入器接收的 150 GeV 能量的质子与反质子按相反的方向运行，并被加速到接近 1000 GeV，速度高达光速的 99.99999954%。在 Tevatron 隧道中两个探测器(CDF 和 D0)中心部分发生质子与反质子束流对撞，爆发生成多种新粒子。Tevatron 的加速器链结构如图 2-5 所示。

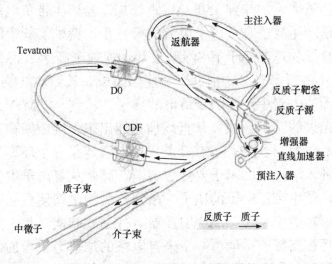

图 2-5　Tevatron 的加速器链结构图

　　Tevatron 的探测装置由固定靶以及 CDF 与 D0 探测器两部分构成。三条光束线将质子从主注入器传送到中微子靶。这个区域的束流也测试探测器，并进行不涉及中微子的固定靶实验。将各种材料的样品放入光束线中，研究各种类型的粒子和它们的相互作用。利用这些装置，物理学家们在 1977 年 6 月 30 日发现底夸克和 2000 年 Donut 实验探测到 t 中微子。CDF 与 D0 是科学家在 Tevatron 上用来观测质子和反质子束流对撞后产生新粒子的两个探测器。探测器大如三层楼房，每个探测器都有许多探测分系统，这些分系统识别来自几乎在光速发生对撞所产生的不同类型的粒子。通过这些粒子可以深入探究物质在最小尺度的结构、空间及时间。质子反质子在 CDF 和 D0 探测器中心每秒发生 200 多万次的对撞，产生大量的新粒子。对于有趣的事例，探测器记录每个粒子的飞行轨道、能量、动量和电荷。

基于万亿电子伏特加速器，科学家们获得了多项重大成果，包括发现"顶夸克"粒子，精确测量 W 玻色子的质量，探寻到陶中微子等。1995 年 3 月，费米国家加速器实验室宣布发现了物质组成的第六种基本粒子——顶夸克，成为轰动一时的世界头条。《科学》杂志也将发现"顶夸克"粒子定位为自 Tevatron 诞生以来所取得的最大成就，这足以说明"顶夸克"粒子对于现代物理学里程碑式的意义。除此之外，基于 Tevatron 的探测器精准测量了 W 玻色子的质量，验证和丰富了标准模型，W 玻色子的质量限制了标准模型预言的希格斯玻色子的质量，其被称为"上帝粒子"，是最后一个尚未在实验中被发现的基本粒子，它是科学家们研究所有基本粒子质量的最后一环。除此之外，Tevatron 的研究中所获得的新的知识对人类的生活方式产生深刻的影响，带动新技术发展。例如：近年来磁共振成像技术就来源于 Tevatron 超导磁铁的开发；Tevatron 运转时同步辐射出的 X 射线是许多领域应用研究中必不可少的工具，如计算机辅助层面 X 线照相术、正电子断层照相和癌症治疗等。

2.2.3 美国先进光子源

美国先进光子源(Advanced Photon Source, APS)是阿贡国家实验室(Argonne National Laboratory, ANL)最为重要的大科学装置之一, 其所产生的全美亮度最高的 X 射线束流为绝大部分学科研究提供支持。例如, 该 X 射线能让科学家们获得对地球核心、外太空间以及复杂材料的结构和功能的新认知, 其可能左右内燃机和集成电路的未来发展, 支撑新药物的开发, 开创性地探索十亿分之一米尺度的纳米技术等。总而言之, 这些研究会深远地影响美国的技术、经济、健康以及人类对构成世界的材料的基本认识。

APS 主要由直线加速器、增强器、电子储存环、插入设备和实验大厅 5 个部分组成, 其中电子加速器和存储系统是产生可用于前沿研究的高能量 X 射线的首要关键。先进光子源的组成部分示意如图 2-6 所示[14]。

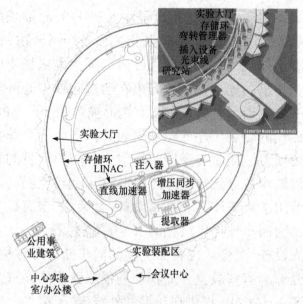

图 2-6 先进光子源组成部分示意图

直线加速器：APS 产生高亮度 X 射线光束始于加热至大约 1100℃的阴极发射电子。直线加速器中的高压交变电场加速电子，电场通过选择性相位调整将电子加速至 450MeV，这时电子以接近光速的速度运行(大于 99.999% 光速)，即 299792458 米/秒(18.6 万英里/秒)。

增强器同步加速器：电子注入到一个跑道形的电磁铁环，即增强器同步加速器中，电子在半秒内从 450MeV 提升至 7GeV(相比之下，照亮电视屏幕的电子束仅有 25000eV)。电子在以大于光速 99.999999%的速度运行。加速力由四个高频腔中的电场提供。为了维持电子的轨道路径，弯转磁铁与高频场同步提供电子加速所需的磁场强度。

电子储存环：7GeV 的电子注入到 1104m 周长的储存环——一个超过 1000 块磁铁及相关设备的圆形物，位于防辐射混凝土外壳内部的实验大厅内。强大的磁场将电子聚焦成一个狭窄的光束，当该光束在通过磁铁中心的铝合金真空盒中沿轨道运行时，在圆形轨道被弯转。在 APS 储存环中，磁铁的先后顺序或磁铁聚焦结构产生一个非常小尺寸和低角误差、质量备受同步辐射光源用户称赞的光束。磁铁聚焦结构也导致在储存环中形成 40 个直线节。其中 5 个直线节用于束流注入和高频设备，其余 35 个直线节可装备仪器，为西半球提供最亮的 X 射线辐射源。

插入设备：为插入设备而优化的同步储存环被称为"第三代"光源。有些装置，如在加利福尼亚州的先进光源和法国的 SuperACO，提供在光谱紫外线/软 X 射线一部分的辐射。7GeV 的 APS 和它的姊妹装置——建在法国的 6GeV 的欧洲同步辐射装置(ESRF)和日本 8GeV 的超级光子环(SPring-8)，因更高的机器能量可以产生软 X 射线到硬 X 射线(穿透力更强)。

实验大厅：APS 储存环和实验大厅之间的棘轮状辐射屏蔽墙充当分界线。在实验大厅的地面上标有 35 个扇区。每个扇区包括至少两个 X 射线光束线，一个来源于储存环磁铁聚焦结构中的一块弯转磁铁处，另一个在插入设备处。实际上，在所有 APS 扇区装备运行后，在同一个屋檐下 APS 会形成 35 个分散的实验室。圆形的 APS 实验大厅是科学家们组装实验仪器和进行研究的地方。大厅被设计成一个封闭的周长 1104m 的光学试验台。大厅地板由一英尺厚的浇注混凝土组成。浇注混凝土施工中常见的做法是在混凝土路面进行均匀切割,形成独立自由移动的单独部分,减轻裂缝。APS 实验大厅的地板没有切割,形成一个坚实和统一的混凝土路面。稳固的实验大厅地板对 APS 的用户大有裨益,他们必须把实验设备调整到亚微米的公差。对地板的定期测量显示,在某些区域地板最多移动了 6mm(在其他区域少于 6mm),现在每年以 0.2mm 的距离移动。这一数字包括收缩、沉降,和随着时间的推移混凝土所经历的短暂变化。

实验室/办公室区域和光束线:在设计实验大厅中,APS 受益于曾在其他同步辐射装置进行实验的研究人员的经验。一个教训是需要有足够的用户实验室和办公室场地。APS 用户组织选择了实验室/办公室区域(LOMs),而且他们的要求很明确,即区域尽可能地靠近光束线的位置。LOMs 靠近实验大厅,距每个光束线仅几步之遥。用户光束线包括晶体和/或反射镜光学器件,它们是为适应用于特定类型实验的光子束而定制的。这些光学器件从由插入设备束流携带的能量(或波长)的每百万中选择约一部分,并将这部分能量通过光束线向下传送到一个铅防辐射实验站,该实验站有进行研究的样品;可能需要进行分析和表征散射、吸收或成像过程的额外的光学器件;以及收集从 X 射线束与样品相互作用产生数据的探测器。

APS 核心的电子存储环始于 1980 年代后期,在当时是突破性的技术,现在已成为过时的技术。25 年后,摆在 APS 的挑战是如何继续使 APS 成为先进的科学研究设施,将其光子源升级以适应开启科学研究新领域的需求。

现在，APS 准备进行 8.15 亿美元的升级改造，最早将在 2023 年末，以全新的规模发展。最早的 APS 将于 2022 年 6 月关闭，新机器的所有零件都检出并准备好在旧机器上组装好之后，升级的 APS 大约在一年后重新上线。正在进行的升级将使 APS 成为下一代基于存储环的高能 X 射线光源的全球领导者，从而为研究人员提供功能更强大的工具，并开启科学的新领域。

APS 就像一个巨型的 X 射线显微镜，它产生可以穿透致密材料、非常明亮的 X 射线，在分子和原子水平上照亮物质的结构和化学性质。作为升级的一部分，将替换现有的 1.1km 的圆形存储环，并更新 X 射线束线和其他设备，从而创建功能更强大的 X 射线设备，并提高 X 射线的产量。X 射线的亮度将比当前机器高出 500 倍，以显著提高性能。以前不可能在现实的时间内完成的实验将在几分钟到几小时内进行。

另一个重要的改进涉及光束相干性，它与 X 射线光的有序性有关。它将从聚光灯等产生广泛洗涤光的东西变成更像激光的东西。相干性尤其重要，超高亮度、高相干性的高能 X 射线将允许在真实环境中进行实验，而不仅仅是模拟环境。至关重要的是，新的 X 射线源能够跨多个物理和时间尺度进行测量。目前，只能看到材料的一小部分，并且需要很长时间。通过升级，将获得高分辨率和广阔的视野。

多年来，APS 是世界上产力最高的 X 射线光源之一，用于从化学到材料科学，再到新冠病毒的重要研究。在 APS 进行的研究直接获得了两项诺贝尔奖，并贡献了第三项。

最近，APS 在新冠病毒的研究中做出重要贡献，其研究方向涉及鉴定病毒的蛋白质结构，并发现潜在的药物治疗和疫苗的研究。

2021 年 12 月 22 日，美国食品和药物管理局(FDA)授权了 Paxlovid 的紧急使用，它是首个被 FDA 授权用于治疗 COVID-19 的口服抗病毒药物。辉瑞的科学家们在先进光子源(APS)的超亮 X 射线的帮助下创造了 Paxlovid，确定候选抗病毒药物结构的工作是在工业大分子晶体学协会-合作访问团队(IMCA-CAT)的光束线上完成。IMCA-CAT 利用 APS 的 X 射线对蛋白质的原子结构进行探测，科学家们利用这些信息来观察潜在的药物化合物如何与病毒相互作用，这为创造新的疫苗和潜在的有效治疗方法奠定了基础。

2.2.4　美国先进光源

美国先进光源(Advanced Light Source，ALS)是隶属于劳伦斯伯克利国家实验室(Lawrence Berkeley National Laboratory，LBNL)的大科学装置。它是全球紫外线和软 X 射线束流最亮的光源，也是在其能区内的世界第一台第三代同步辐射光源，其使得之前无法进行的实验研究成为可能。ALS 始建于 1987 年，建成并投用于 1993 年，装置总投入 9950 万美元。

ALS 由六大部分构成，包括直线加速器、增强器、储存环、束流引出、光束线和实验站。当电子束团被磁铁强迫进入圆形轨道时，这些束团以接近光的速度运行，发出明亮的紫外和 X 射线光，通过光束线输送到实验站。为产

生科学家们需要的波长和亮度的光，ALS 的设计者们必须
创造出一台大机器来。它最大的部件——储存环的直径为
一个足球场长度的三分之二。储存环是个管状的真空室，
确保电子束以接近光的速度在储存环内运行；维持电子束
的高能量。美国先进光源的结构如图 2-7 所示[15]。

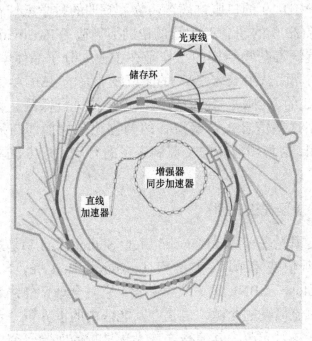

图 2-7　美国先进光源结构图

　　ALS 的工作原理是当磁铁迫使电子在一个圆形轨道中
以接近光的速度运行时，电子放射出亮的紫外和 X 射线光，
这些光通过光束线照在试验站端。其储存环中的粒子电子
的额定能量为 1.9GeV；电子束的尺寸为 0.20mm × 0.02mm
(大约人的一根头发的尺寸)；运行的光束线 39 条和束流测

试设备；可能的光束线数量为 60。ALS 中加速器的参数情况如图 2-8 所示。

有关加速器的情况	
每个束团中的电子数量	……………75亿个
电子束团之间的时间	……………2×10⁻⁹s
电子束团的尺寸	……………~0.20mm×0.01mm (人一根头发丝的宽度)
电子在增强器环中运行的距离(在0.45秒内)	……………135,000km
电子每秒沿储存环运行的圈数	……………150万圈
电子在储存环中的能量	……………1.9GeV
加速电子在最高速度的运行	……………299,792,447m/s (即99.999996%的光速)
每年用铝箔数量：	……………20,928平方英尺

图 2-8　ALS 中加速器的参数情况

ALS 产生的光在电磁波谱的远紫外和软 X 射线区间，光波长介于 0.0001μm 至 0.1μm，其在 X 射线区产生的光谱亮度十亿倍于太阳光。正是由于其非同寻常的特性，为在物理、化学、生物、材料和环境等学科开展最前沿的研究提供了前所未有的可能。半导体、磁性材料、探测物质的电子结构、三维生物成像、生物样品的 X 射线显微术、蛋白质晶体学、臭氧光化学、化学反应动力学、原子和分子物理及光学测试等是正在进行或准备开展的研究课题或技术方向。科学家们通过 ALS 这个大科学装置能够深入探究物质特性；从样品分析中提取微量元素；解析原子、分子等各种粒子的结构；研究各种化学反应及生物标本；制造微小精密机械 ALS 产生的光波长范围如图 2-9 所示。

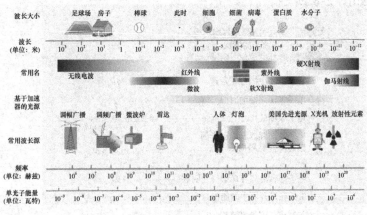

图 2-9　ALS 产生的光波长范围图

　　ALS 升级项目(ALS-U)是自 ALS 开始运行以来我们最大的升级项目，将在软 X 射线范围内提供 ALS 接近衍射极限的性能，从而使亮度和相干通量增加至少两个数量级。基于纳米聚焦、衍射成像和相干散射的方法将极大地受益于存储环性能的改善，该战略计划确定了多个领域，在这些领域，对束线和端站基础设施的投资将为新的科学发现创造机会。ALS-U 项目正在进行中，并在 2021 年达到了关键决策 2(CD-2)里程碑。作为战略规划过程的一部分，ALS 已经确定了以交叉主题为中心的六个重点领域(量子材料、复杂材料和界面、化学转化、地球与环境系统、生物科学、仪器和计算)。

　　升级后的 ALS 将占用与当前 ALS 相同的设施，取代现有的电子存储环，并利用约 5 亿美元的现有 ALS 基础设施、加速器和实验系统。新的光环将使用强大、紧凑的磁铁，这些磁铁排列成密集的圆形阵列，称为多弯消色差(MBA)晶格。与加速器复合体的其他改进相结合，升级后的机器将产生明亮、稳定的高能光束，以前所未有的细节探测物质。

升级后的 ALS 在新增及增强光束线上的改进能力将支撑变革性科学研究，这是世界上任何现有或计划中的光源都无法进行的。这项新科学包括具有纳米级空间分辨率的 3D 成像，以及对自发纳米级过程的测量，时间尺度从几分钟到纳秒不等，所有这些都对化学、电子和磁性敏感。此外，光束的高相干性将使新型光学技术成为可能，这些技术将提供开创性的灵敏度和精度，以检测最微弱的元素痕迹和纳米级的微妙电化学相互作用。

2.2.5 散裂中子源

橡树岭国家实验室(Oak Ridge National Laboratory，ORNL)的散裂中子源(Spallation Neutron Source，SNS)是以加速器为基础的中子源，占地 30 英亩，耗资 14.117 亿美元，历经 10 年，于 2006 年 6 月 5 日正式竣工。

现在，SNS 提供世界上最强的脉冲中子束流，用于科学研究和工业发展。作为一个用户装置，SNS 目前每年接待 300～400 名来自世界各地的研究人员开展中子打击、探索物质和它们界面结构的研究。计划将中央冷却水改造为重水(氘氧化物)以提高中子的产量。且 SNS 考虑了余量设计，预留了建造第二个靶装置的资源，可使总的实验能力翻倍。

SNS 的靶安放高达 24 个中子束流仪器。目前，已经分配了其中的 17 个束流位置，并包括为 SNS 独特能力特别设计的世界先进水准的衍射仪、光谱仪和反射仪。一条光束线专门用来研究基础中子物理。每个仪器都为一个特定的科学领域进行优化。总的说来，各种仪器对原子和分子水平的物质的结构和动力学进行广泛的研究。这些仪器的使用范围从研究焊接周围的局部拉力，到研究层状材料中的磁现象，再到生物材料中的功能性的实验。前三个仪器 2006 年开始运行，新的仪器按每年运行 1～4 个的速度直至 2011 年全部完成。SNS 的主要参数如图 2-10 所示。

SNS 的离子源输出带负电荷的氢离子，每个氢离子的构成包括一个质子和两个绕行的电子。直线加速器将注入的氢离子加速到极高的能量后通过一片金属箔从而剥去两个电子，使得氢离子转换为一个没有绕行电子的质子。多个质子通过一个积累环形成质子束团，并以脉冲的形式从积累环中发射出来。高能量的质子脉冲冲击一个装有液态水银的容器，即重金属靶，形成散裂过程。在此过程中释放的大量中子脉冲先经减速剂降速，再由光束线引导至中子探测区，最后依据中子的不同能量被应用于各种实验。SNS 结构示意如图 2-11 所示。

基准设计要求有一个加速器系统，包括一个离子源，全能量直线加速器和一个累积环，两者结合起来产生短的强大质子脉冲。通过散裂中子核反应过程，这些质子脉冲撞击到一个水银靶。在最大功率时，SNS 向靶发送 140 万 W (1.4MW) 的束流功率，设计 SNS 时，为未来提供额外的科

散裂中子源主要参数	
靶上质子束功率	1.4MW
靶上质子束动能	1.0GeV
靶上平均质子束流	1.4mA
脉冲重复率	60Hz
靶上每个脉冲质子	1.5×10^{14} 个质子
靶上每个脉冲电荷	24μC
靶上每个脉冲能量	24kJ
靶上每个脉冲长度	695ns
离子类型(前端、直线加速器和高能束流输运)	负氢
直线加速器平均大脉冲H-电流	26mA
直线加速器束流大脉冲负载因数	6%
前端长度	7.5m
直线加速器长度	331m
高能束流输运长度	170m
环周长	248m
环和靶的长度	150m
离子类型(环、环到靶和靶)	质子
环填充时间	1.0ms
环旋转频率	1.058MHz
注入圈数	1060
环填充部分	68%
环引出束流间隔	250ns
最大不受限制的束流损失	1W/m
靶材料	汞
介质/冷减速剂数量	1/3
中子束流闸门数量	18
起始仪器数量	5

图 2-10　SNS 的主要参数图

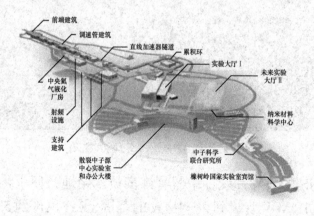

图 2-11　SNS 结构示意图

学产出预留了灵活性。这种做法的目的是提供一个良好的设施，满足未来中子科学界对中子流强度的进一步需求。

SNS 工程办公室领导着能源部下属 6 个国家实验室一同建造这一大科学装置。其中，SNS 前端系统中子源的设计及制造由劳伦斯伯克利国家实验室(LBNL)完成；SNS 累积环的设计及制造由布鲁克海文国家实验室(BNL)承担；SNS 直线加速器的研究开发由洛斯阿拉莫斯国家实验室(LANL)和杰斐逊实验室(JLab)联合完成；SNS 液体水银靶的设计及制造由橡树岭国家实验室(ORNL)负责；SNS 中子散射仪器的开发由阿贡国家实验室(ANL)承担，各类实验所需设备则由 ANL 与 ORNL 密切合作研发。散裂中子源分工示意如图 2-12 所示。

图 2-12　散裂中子源分工示意图

SNS 的设计和硬件中留有许多技术余地，便于将功率从基准 1.4MW 升级到 2~4MW 的范围，最终也许到 5MW。SNS 升级计划的最新进展基于改善直线加速器的超导腔性能，减轻累积环中的强度阈值，降低水银靶中的空蚀。由于升级的关键要素依赖复制现有的设计，所以升级定位于富有挑战性的部署，2008 财政年度开始建造，2012 财政年度完成。升级的费用为 1.5 亿美元至 1.73 亿美元。这次升级将改善所有在 SNS 安装的散射仪器的性能，并在将来提供也可引出到一个潜在的第二个靶的束流功率，拓宽 SNS 仪器套件和可研究的科学范畴。

SNS 功率升级将大约花费最初装置造价的 10%，而使 SNS 的科学性能提高约 1 倍。束流能量将增加 30%，从 1.0GeV 提高到 1.3GeV，束流功率 3.0MW 时，时间平均加速器输出束流流强将增加 65%，从 1.4mA 提高到 2.3mA。SNS 的加速器束流能量提高 30% 时，有很小的技术、费用或进度风险。技术风险在于束流的流强方面，需要研究和开发的三个主要的技术风险领域是离子源、碳剥离膜和水银靶。

虽然中子散射的研究成果对于多数人而言效用并不十分凸显，但它们有效增加了人们生产生活中使用的产品品种数量，并大幅改进产品质量。

散裂中子源有助于人们通过新途径和新方法来改变材料的结构及特性。我们对技术上重要材料基本特性的了解，例如催化剂、离子导体、超导体、合金、陶瓷、水泥、磁铁和放射性废物的形成，通过中子散射测量将会继续得到提高。另外，散裂中子源更高的中子通量将会大大扩展材料科学领域可行性研究的范围。

利用散裂中子源，科学家们可以收集有关通信光纤、用于小型化马达和发电机的金属玻璃(铁-硼)磁铁和可能用于蓄电池和燃料电池的离子导电玻璃方面更为详细的信息。散裂中子源将用来研究被污染的土壤和其他密封在玻璃里的废材料(经过一段时间被辐射损坏)的长期稳定性。强中子束流有助于研究整体性质和用于医学植入的钴钛合金的表面处理，因为这些合金在生物学上是惰性的，非常耐磨和抗腐蚀。中子散射是研究竞相开发新材料电子工业中使用的非晶半导体结构和分子水平动态(例如硅原子的结合)的重要工具。

中子散射对环境保护和公共安全起到了不可替代的支撑作用。例如，中子散射可引导重要的技术改进，以保障火车及高铁不会脱轨运行，机翼不会与机身脱离，石油管道不会被腐蚀至原油泄漏等。借用原子平面形变(格点应变)测量，中子散射可用以探测几乎所有材料的剩余应力状况。在加工过程中可以在一个部件形成的这些应力，可使其破裂、磨损、加速化学腐蚀，甚至被使用中外部给该部件加上的应力所损坏。散裂中子源上的小角度散射比电子显微术更能在图上标出在那米尺度造成材料故障的缺陷。

散裂中子源将在方便的能量范围内提供研究磁性材料激励的中子，提供电子呈带状的金属固体的磁性相互作用力和磁性方面的详细情况。这些材料的磁性激励常常在高能量时产生，特别适于散裂中子源的研究。散裂中子源将非常有助于分析先进的低维材料，包括带"单行行进磁性原子"的一维晶体和每层有几个原子厚的二维层叠薄膜结构。其他研究的对象包括显示巨大磁阻效应的材料(外部磁场调整磁化强度时，电阻抗大量降低)。更好地了解这些材料将有助于制造出更高性能的传感器和抗辐射计算机数据存储设备。

2.2.6　国家同步辐射光源

美国国家同步辐射光源(National Synchrotron Light Source，NSLS)是隶属于布鲁克海文国家实验室(Brookhaven National Laboratory，BNL)的大科学装置，于 1978 年开始兴建。NSLS 有大小两个储存环，小环建成于 1984 年，大环建成 1986 年。其中，小环是真空紫外环(0.8GeV)，能够输出 25 条可见、紫外、红外和部分 X 光等光束线；大环是 X 光环(2.5GeV)，能够输出约 60 条比小环能量更高的 X 光光束线。NSLS 每日不间断运行输出业界一流的光束线，能够支撑 80 个以上同时进行的相关实验。其每年大约承接来自全球 400 余个政府科研机构、学术界及产业界的数千名科学家和工程师的实验需求，为他们产出数百篇高水平学术论文提供重要的科研手段支撑。

NSLS 储存环采用了独特的 Chasman-Green 磁铁聚焦结构，两位储存环科学家(Renate Chasman 和 G.Kenneth Green)在 NSLS 的设计中插入直线节，并周期性摆放弯转磁铁、聚焦磁铁和校正磁铁，这种结构被称为 Chasman-Green 布局或"双聚焦消色"布局。当在真空紫外小环的两个直线节和 X 光大环的 5 个直线节中放入扭摆磁铁后，通过大小储存环的电子束流会发生扭摆，从而释放出能量更大的同步辐射。Chasman 和 Green 的精巧设计使 NSLS 能够输出世界一流的同步辐射光束。NSLS 鸟瞰及结构示意如图 2-13 所示。

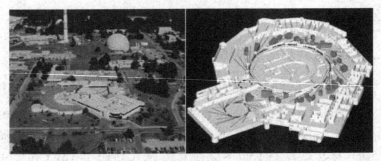

图 2-13　NSLS 鸟瞰及结构示意图

NSLS 成为世界上建设第三代光源的起点，之后建设的许多同类装置在它的布局基础上进行了改进，加入了更多的部件和插入件，最后的技术性能超过 NSLS。虽然经历了二十多年不间断的完善和提升，但是 NSLS 的实际性能已接近自身上限，难以实现更大突破。为了进一步保持和提高 NSLS 用户数量及黏性，继续提供能够满足科学家们现在及未来在科学实验上的各种需求，迫切需要研制一种超越 NSLS 本身性能的新装置，使得输出光束线的通量及亮度大幅提升。

NSLS-II 应运而生，其设计始于 2005 年，2008 年破土动工，2009 年美能源部为其投入 1.84 亿美元资金，直到 2012 年才正式运行。虽然 NSLS-II 仍然属于第三代同步辐射光源(3GeV)，但是其输出的 X 射线亮度相较于第一代 NSLS 高出一万倍，是更为先进的中能电子储存环，可实现通量及亮度都达到当时世界之最的等量输出。性能的提升主要得益于 NSLS-II 的波荡器采用全新结构设计及制造工艺，能够实现更强的 X 射线叠加效果。与此同时，NSLS-II 还保留了原有 NSLS 跨学科、跨领域的研究性质，以及提供一系列新的实验能力以满足广大用户的多样需求。

NSLS-II 在由 20 多个插入装置产生的 2～20KeV 的能量范围内，提供的光峰值亮度大于 10^{21} 光子/秒/0.1%带宽/毫米 ^{2}/毫弧度 ^{2}。储存环设计方案按最佳运行方式进行，使电流保持在 500mA，给光束线的光学仪器提供稳定的热负载。为了使 3GeV 的机器在 2～20KeV 能量范围内的性能达到最佳，考虑采用短周期(10～15mm)、小间隙(5mm)的超导波荡器。NSLS-II 鸟瞰及射线分布示意如图 2-14 所示。

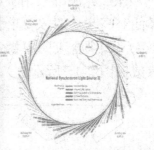

图 2-14　NSLS-II 鸟瞰及射线分布示意图

NSLS-II 采用的储存环磁聚焦结构类型正在积极讨论中，以便确定最大限度地满足用户的需要并使机器性能达到最佳，从而获得高亮度。通常的磁聚焦结构由 24 个三块弯铁消色散(Triple Bending Achromat，TBA)结构组成，周长在 550～600m 的范围内，水平发射度在 3GeV 时约为 1.5nm。这样一个结构完全满足用户预期对约 20 个插入件和超低发射度约 1.5nm 的需要，将来可以将其改进为能量回收直线加速器运行模式。除 TBA 结构外，也在研究两块弯铁消色散(Double Bending Achromat，DBA)和四块弯铁消色散(Quadruple Bending Achromat，QBA)结构。每种结构都有利有弊，设计者正与用户一起研讨，以确定其最佳结构。至于所有超高亮度电子环，最大的挑战是用非线性六极铁补偿磁聚焦结构的大色差，同时使电子束的稳定相位空间区域达到最大，即所谓的"动态孔径挑战"。

NSLS-II 计划采用 500MHz 的超导高频系统。超导高频系统在利用像大型正负电子对撞机(LEP)和非对称正负电子对撞机(KEKB，即位于 KEK 的 B 介子工厂)加速器开展高能物理研究中已经证明了自己，最近 CLS、DIAMOND 和 SRRC 光源都采用了超导高频系统。超导的特性可大大降低对高频功率的要求，大孔径腔体的"单模"设计可以不用消除耦合束团不稳定性的反馈系统。NSLS-II 的额定参数如图 2-15 所示。

能量	3.0GeV	束流发散度(σ'_x, σ'_y)	18.2,1.8μrad
周长	620m	横向//纵向工作点	37.3/17.25
周期数	24TBA	能散度	0.094%
自然发射度$(\varepsilon_x, \varepsilon_y)$	1.5nm-rad,0.008nm-rad	RF频率	500MHz
横向耦合系数	0.5%	RF接受度高度	3%
动量压缩因子	0.0000815	束团长度均方值	11ps
二级铁半径	7.64m	最大电流	500mA
束流尺寸(σ_x, σ_y)	84.6,4.3μm	最大插件长度	5m

图 2-15 NSLS-II 的额定参数图

NSLS-II 可输出相当密集的红外、紫外以及 X 光束线，物理、化学、生物、材料、环境等领域的科学家及工程师都可借助此光束线在纳米级尺度上探测物质的结构及特性，例如基于 NSLS-II 大科学装置，研究人员可以在最小尺度上研究下一代半导体硅片、生物蛋白质、高温超导体。NSLS-II 所提供的多种能力组合也将在未来数十年给美国的材料、生命、纳米、化学、环境、大气、地球等不同学科和研究领域带来全新的科学机遇；在国家卫生研究院结构基因组和能源部基因组等主要研究中起决定性作用；为支撑国家加速推进纳米科学计划而提供宽谱范围的纳米级分辨率探测器；重新诠释决定星体及地球形成演化的过程等。

2.2.7　直线加速器相干光源

美国 SLAC 国家加速器实验室的直线加速器相干光源 (Linac Coherent Light Source，LCLS)从计划设计到开工建设耗时近乎 10 年，又经历 3 年的建设周期，最终于 2009 年 4 月建成运行。LCLS 光源是一个长约 130m 的巨型激光器，电子束经过长 2 英里的直线加速器加速后，能量由 4.3GeV 大幅增加到 13.6GeV。LCLS 每次启动热机需要耗费 2 小时方能达到稳定输出状态。

高能电子束经由一个正负极性交替的磁体阵列(波荡器)，磁场的周期变换控制着电子束的往返运动，高能电子束使能自由电子激光器释放巨大光能。LCLS 的科研人员于 2009 年首次利用大功率 X 射线激光器产生波长为 0.15nm 的直线连续测试光，该 X 光束是当时人类创造的最大能量且兼具最短波长的光，比其他任何人造光源输出的脉冲亮度都要高。LCLS 为全球首个能够输出硬 X 射线的自由电子激光器，其输出光的脉冲宽度为 80fs，波长在 0.15～1.5nm 范围内可调谐，每束脉冲光蕴含多达 10 万亿个 X 射线光子。

LCLS 可以输出分子、原子、光子等不同层级的粒子，并在不同层级设备之间随意切换以满足多种多样的需求应用，例如 LCLS 可与相干 X 射线成像仪、软 X 射线材料科学仪、X 射线光谱仪等多种物质在极端环境下运行所需的仪器仪表连接。自 2009 年第一次点火之后，LCLS 已经被用于将病毒成像、再现恒星中心的条件、触发分子级联触发事件、将水煮至怪异的新等离子状态、创造可能会落在像天王星和海王星等行星的"钻石雨"等等。

为了进一步增强 LCLS 的实验性能，SLAC 国家加速器实验室带领托马斯杰斐逊国家加速器试验场、阿贡国家实验室、费米国家加速器实验室、劳伦斯伯克利国家实验室以及康奈尔大学共同成立了装置升级工作组，并于 2016 年对这个业界最强大的 X 射线光源完成了一次耗资 10 亿美元的重大改进升级。在原有的直线加速器相干光源 LCLS 的基础上增添了一条新的激光束，并命名为 LCLS-II，其每秒输出约 100 万个脉冲，亮度增强 10000 倍，速度提升 8000 倍，从而使得激光器的功率大幅提高。在 2020 年初，LCLS-II 成了世界上最明亮的 X 射线激光器，随着超导加速器的上线，科学家们将能够看到原子和分子中隐藏的世界，这是前所未有的。

LCLS-II 使电子穿过多个正负极性周期变换的磁体阵

列(波荡器),并被强迫以弯曲的路径快速行进,在加速至接近光速后从切线方向释放出亮度极高的 X 射线及能量。正是由于电子被加速的方式与原有的 LCLS 激光器大为不同,从而使得 LCLS-II 的输出激光束性能大幅提升。升级之后 LCLS-II 激光器将产生极端明亮的 X 射线激光束,电子穿越一系列磁性波荡器,迫使电子以曲折路线穿越,释放大量 X 射线形式的能量。但是这种情况下电子将以完全不同方式加速,使得 LCLS-II 的能力提升。目前在 LCLS 激光器中电子在室温下沿着一个铜管进行加速,每秒产生120X 射线激光脉冲,研究人员将在 LCLS-II 上安装一个超导加速器。之所以称为"超导加速器"是因为它的铌金属腔以接近零损耗传导电子,所处温度环境为零下 271℃。科学家们发现,LCLS 激光器能量得到提升之后的 LCLS-II 可以更好地帮助人们在生物、医学、材料、能源及电子等领域获得更多新发现,例如 LCLS-II 能够更好地协助研究人员看清生命系统中的原子运动方式。直线加速器相干光源的结构示意如图 2-16 所示[16],国际上 X 射线自由电子激光 FEL 装置的主要参数如图 2-17 所示。

2.2.8 国家点火装置

美国劳伦斯利弗莫尔国家实验室研制的国家点火装置(National Ignition Facility,NIF)是全球最大的激光约束聚变大科学装置,其由美能源部下属的国家核安全管理局于1997 年投资约 35 亿美元(约合 239 亿元人民币)兴建,并于2009 年落成投入运行,该装置的终极目标就是点火实现可

图 2-16　直线加速器相干光源结构示意图

装置名称	加速器类型	电子束能量/GeV	光子能量范围/KeV
LCLS	常温、S 波段	14.3	1～15
LCLS-Ⅱ	超导、L 波段	4	0.2～5
FLASH	超导、L 波段	1.25	0.014～0.3
Eu XFEL	超导、L 波段	17.5	8.4～30
SACLA	常温、C 波段	8	0.44～20
FERMI	常温、S 波段	1.5	0.0124～0.3
PAL XFEL	常温、S 波段	10	0.124～12.4
SwissFEL	常温、C 波段	5.8	0.177～12.4
SXFEL	常温、C 波段	1.5	0.1～0.6
SHINE	超导、L 波段	8	0.4～25

图 2-17　国际上 X 射线自由电子激光 FEL 装置主要参数图

自持的核聚变反应。NIF 的基本工作原理是利用 192 条激光束将高达 200 万焦耳的能量汇聚于直径 3mm 的冷冻氢气球之上，以此达到在微小局部所产生的热力超过 1 亿℃，从而模拟出核爆炸时的状态以及类似恒星或巨大行星内核反应的压力和温度，为此前在地球上无法开展的一系列热核研究提供仿真试验环境。

　　NIF 是一座占地约一个足球场大小的大科学装置，其长×宽约为 200m×85m。18 块约 10cm 厚的铝材外壳拼接出 NIF 的核心球体，激光束从球体外壳上部的方形窗口射入内部，具有近 100 个分片的诊断装置则通过圆形窗口进行安装及调试。为了保障整个 NIF 系统的正常运行必须配套启用六万多个相应的先进装备，主要存在于高能紫外激光系统和靶室两大部分。其一，高能紫外激光系统的主要功能是将从主振荡器输出的低功率激光脉冲先进行修正及放大，然后精准地聚焦到小面积靶丸上。高能紫外激光系统由光脉冲发生器、放大器、驱动器、聚能器以及光束控制器等部分构成。该激光器系统可输出 192 束 0.35μm 波长、1.8M 焦耳总能量的矩形激光，192 束激光排成 48 组束线，每组束线 4 束光，每束光边长 40cm。其输出脉宽及总功率分别为 4PS 和 500 亿 W，总能量是现有 NOVA 激光器的 40 倍，总功率则是后者的 10 倍。其二，直径 10m、重约 450 吨的靶室内安放了百余个诊断装置，最为重要的是一个用于放置微小靶丸、内外均为金衬的中空圆柱体黑腔。国家点火装置布局示意如图 2-18 所示[17]。

　　NIF 引发核聚变的实验流程是外部输入激光首先被放大一万倍，然后再被分离为 48 束激光，并进一步增强和分

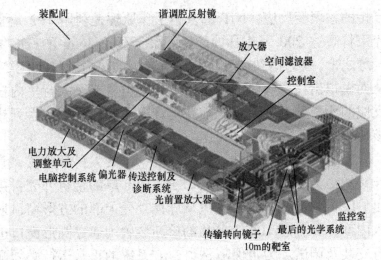

图 2-18　国家点火装置布局示意图

离为 192 束。经历此流程后，激光束的总能量比初始能量放大三千万亿倍，此巨大能量被汇聚到直径 3mm 的氘氚靶丸上，达到一千亿个大气压和一亿摄氏度高温，从而成功激发核聚变。每束输入激光通过 3000 块磷酸盐玻璃镜面往返反射，其中的钛原子使激光束扩大，从而激发出蕴含 180 万焦耳能量并延续十亿分之三秒左右的脉冲紫外光，该能量的瞬态功率甚至高于全美所有电站所发电能瞬态功率的 500 倍。脉冲紫外光撞击目标反应室后生成的 X 光又会击中反应室中央装满重氢燃料的塑料封壳，进而将氢燃料升温至一亿摄氏度，与此同时，增加一千亿个大气压力，促使重氢核产生聚变反应，并释放多于 15 倍输入的能量。

　　NIF 主要有三方面的目的和任务：其一，NIF 的初衷是模拟核爆炸，核物理学家基于 NIF 研究核武器性能，从而无需核试验也能展示核威慑力量，它是美核武器储备管理计划的重要组成部分。除此之外，NIF 还能够规避联合国《全面禁止核试验条约》的限制，助力持续研发新型核武器，是美国"无爆炸核试验"不可或缺的一部分。其二，利用 NIF 探索宇宙奥秘，科学家基于 NIF 大科学装置可以模拟恒星、巨大行星内核、黑洞边界以及超新星等地球上无法获得的环境，在类似于恒星内核的热与力条件下开展科学实验，并产生一系列科学界史无前例的数据及推论。其三，确保国家能源安全，NIF 大科学装置又被称为"人造太阳"，2010 年起核物理学家通过 NIF 仿真太阳中心热与力的真实环境，模拟太阳中心可控氢核聚变反应过程，以此实现不间断的清洁核能发电。

美国建造和运行 NIF 大科学装置，并在其上开展一系列科学研究，主要是为实现四方面的目标：其一，模拟核爆炸的建模及试验，评估国家核武器库，确保禁止核试验条件下的核武安全；其二，维持核武器相关研究人员能力，持续吸引及培养国家核武人才；其三，突破核聚变物理难题，为清洁能源开发提供新路径；其四，拓展基础物理学科的研究领域。总而言之，NIF 大科学装置给美国的国防工业及核物理基础研究带来了深刻而长远的影响。

NIF 大科学装置自 2009 年建成运行以来结出累累硕果。2010 年的 10 月 NIF 第一次综合实验点火就使得激光系统释放了 1MJ 的能量给低温靶室，创造了当时的世界之最，发射能量 30 倍于当时排名第二的罗切斯特大学激光实验。2012 年的 3 月《自然》杂志刊文报道了"人造太阳"——世界最大激光器 NIF 输出高达 2.03MJ 能量打破世界纪录，同时也成为全球第一个突破 2MJ 的紫外激光器。

2020 年 11 月至 2021 年 2 月一个全球数百名科学家组成的科研团队在 NIF 上进行了 4 次实验，并在《自然》杂志上刊发了一系列实验成果，宣称 NIF 在实现核聚变目标上获得"燃烧等离子体"这一里程碑式突破，证明了核聚变燃烧并不一定非得依靠外部激光能量的注入，其反应自身所生成的热量也可以维持。2022 年 12 月 14 日，NIF 宣布里程碑式突破：人类有史以来第一次成功在核聚变反应中，获得"净能量增益"。NIF 通过"惯性局限融合"技术，以全球最大型的激光去撞击氢电浆粒子，引发核聚变反应，该实验向目标输入了 2.05MJ 的能量，结果输出了 3.15MJ 的聚变能量。

2.2.9　球托实验聚变装置

普林斯顿等离子体物理实验室 PPPL(Princeton Plasma Physics Laboratory)坐落于美国新泽西州普林斯顿大学福雷斯特校区，其设立始于"马特洪计划(Project Matterhorn)"，它是冷战时期美国军方一个可控热核反应的最高机密计划，并于 1961 年解密之后将相关实验室更名为 PPPL，它主要聚焦于超热带电气体相关的等离子体物理研究和研发产生聚变能的工程应用方案。

聚变能(fusion energy)，指利用核聚变产生能量。核聚变反应是一种结合两个较轻核子产生较重核子的能量反应。核聚变时，部分质量丧失转换为能量(质量不变定律)。聚变能研究主要关注于驾驭这个反应并作为大规模可持续能源的来源。要进行核聚变反应，首先就必须提高物质的温度，使原子核和电子分开，处于这种状态的物质称为"等离子体" (plasma)。聚变以等离子体的形式——热与光元素聚合，等离子体是由自由电子和原子核组成的物质的带电状态，在恒星中产生大量的这样的能量，科学家旨在在地球上的设备中复制这种聚变，以提供几乎无穷无尽的安全清洁的电力。目前，主要的设计是托卡马克(Tokamak)聚变装置，也被称为环磁机，它是一种使用磁力线约束来实现核聚变的装置，这种甜甜圈状的环形容器内部围绕环面布置的螺旋磁力线可使装置达到稳定的等离子体均衡态。托卡马克聚变装置的原理构成如图 2-19 所示[18]。

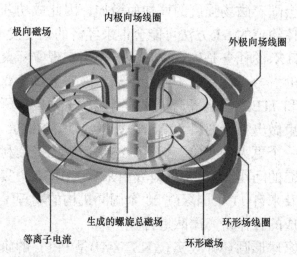

图 2-19　托卡马克聚变装置的原理构成图

　　PPPL 的国家球形圆环实验(National Spherical Torus Experiment, NSTX)正是一种托卡马克聚变装置，这可能为开发聚变能源开辟一条有吸引力的道路，使其成为一种丰富、安全、经济且环保的发电方式。NSTX 设备正在探索一种新的磁场结构，该磁场用于容纳热电离气体，称为"等离子体"。未来的核聚变发电厂将包含由氢同位素氘和氚的混合物组成的等离子体，如果能够利用适当形状的磁场制成"魔瓶"，将高温高压的等离子体约束在其中进行受控热核反应以产生氦，并同时释放大量能量。

NSTX 中的磁场形成一个环形等离子体，因为中心有一个孔，但等离子体的外边界几乎是球形，因此被称为"球形环面"或"ST"。描述等离子体与磁场相互作用的磁流体力学(MHD)理论表明，在 ST 中产生自持聚变所需的等离子体压力可以在较低的磁场强度下维持。由于聚变发电厂的成本会随着磁场强度的增加而增加，因此成功开发用于等离子体约束的 ST 方法可能会带来经济的聚变发电厂。

NSTX 的任务是确定 ST 构型作为实现实际聚变能这种手段的潜力，并在电子能量传输、液态金属等离子体材料界面和 ITER 燃烧等离子体的高能粒子约束等研究领域对磁约束做出独特的科学解释。如果成功，NSTX 之后可以进行一个更大的实验，探索最终从反应堆持续利用聚变能量所需的问题。NSTX 的研究由来自美国 30 个实验室和大学以及来自 11 个国家的 28 个国际机构的物理学家和工程师组成的合作研究团队进行。

国家球形圆环升级实验(NSTX-U)是 PPPL 的旗舰聚变设施。球形装置的形状更像一个有芯的苹果，而不是传统托卡马克的甜甜圈形状，可以产生高压等离子体——聚变反应的基本成分，具有相对较低且成本有效的磁场，将超高温等离子体限制在磁场线内，以产生像太阳中那样的聚变反应。NSTX-U 实验的目标是测试有芯苹果形状的紧凑球形托卡马克是否可以成为一个更小、更廉价的聚变能装置的良好模型，成为商业聚变反应堆的一个候选。

NSTX-U 有三个主要目标：一是探索球形设备在低成本磁场下产生稳定、高性能等离子体的能力。二是开发启动和维持无感等离子体所需的技术和工具，这意味着没有所谓的"螺线管"磁铁来启动过程。三是开发处理和控制聚变反应废热的技术。NSTX 和 NSTX-U 横截面的比较如图 2-20 所示。

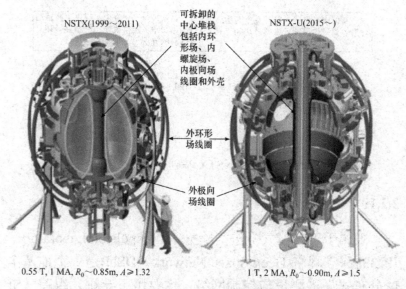

图 2-20　NSTX 和 NSTX-U 横截面的比较图

与 NSTX 相比，NSTX-U 主要有两大组件升级：其一是新的中心堆栈，它略大于 NSTX 中的中心堆栈，这将导致等离子体的纵横比(R/A=0.95/0.55=1.7)和延伸率(κ高达2.8)略高于 NSTX 中的等离子体。在感应操作中，升级后的中心堆栈所能提供的欧姆磁通摆动将达到 NSTX 中的三到四倍，加上预测的自举和束流驱动的非感应电流，将允许脉冲宽度高达 5s，使得环绕中心柱的环形等离子体的温度可以超过 1000 万℃；其二是增加第二个中性束，这将比一个束注入更多的切向。这第二束中性光束不仅能提供更高的辅助加热功率，以降低碰撞，而且还通过使用六束源的不同组合，提供了改变和控制磁场旋转和螺旋度的方法，这两种方法对优化约束、稳定性和无感电流驱动都很重要。NSTX-U 在 NSTX 基础上的两大组件升级如图 2-21 所示。

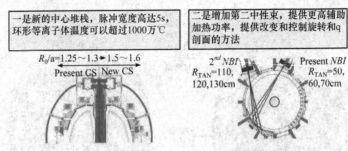

图 2-21　NSTX-U 在 NSTX 基础上的两大组件升级图

2.2.10　NASA 深空网络

隶属于美国喷气推进实验室(Jet Propulsion Laboratory，JPL)的深空网络(Deep Space Network，DSN)是一个地基全球分布式先进测量与控制网络，主要用于导航、跟踪、链接执行月球、行星及星际深空探测任务的各类航天器，它从 1958 年着手兴建。因为进入太空后深空测控通信系统就成了探测器与地球间的唯一连接手段，所以遥远距离测控通信是 DSN 所不可或缺的关键技术。该系统一方面接收深空探测器发回的科学及遥感数据，另一方面发送指令信号对处于深空的探测器进行追踪及控制。

DSN 的三个地面终端站分布于美国加州戈尔德斯敦、西班牙马德里、澳大利亚堪培拉，彼此间的经度跨越 120°，以此满足对深空探测器的连续导航、跟踪及测量，并冗余适当的重叠区域。分布于全球的三个地面终端站都至少具有 4 个 DSS(Deep Space Station)，每个 DSS 都由高灵敏接收机、大功率发射机、通信网络和信号处理中心等功能部分组成。具体而言，涵盖直径 3m 的高效天线、直径 3m 的波束波导天线、直径为 7m 的天线和直径 1m 天线阵列，这些大口径天线及阵列确保深空探测器发出的数据接收无误。深空网络站点分布如图 2-22 所示[19]。

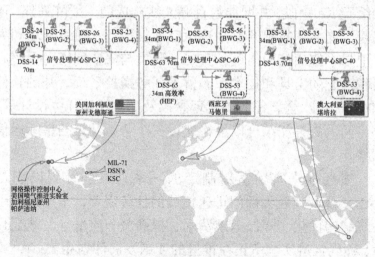

图 2-22　深空网络站点分布图

深空网络的信号处理中心远程控制着天线指向，一方面接收及处理遥感测量数据，另一方面发送导航指令控制航天器运行。在被深空设施预处理后，所有数据都汇集到喷气推进实验室进行深度处理，最后通过现代地面通信网络传送给各研究团队。

　　然而,任务产生的数据比过去越来越多。自 20 世纪 60 年代第一次月球任务以来,来自深空网络的数据率已经增长了 10 倍以上。随着 NASA 着眼于将人类送上火星,这种对更高数据量的需求只会进一步增加。根据预测 2005 到 2030 年这十多年间,深空探测任务的下行传输速率将会增至 10^6 数量级。因此,有必要采用一系列新测量方法和技术手段以满足传输速率快速增长的需求。为了应对未来更多深空任务的新挑战,新建的 DSN 将主要聚焦两大内容:其一,建设深空网络的主干核心层,除了将现有通信频段升级至 Ka 频段,并增加数百幅天线构成的天线阵列外,还将基于光通信技术开发高速深空通信设备,建设月球和火星卫星中继通信网络等;其二,研发与深空网络主干核心层相匹配的工具和技术,涵盖多任务操控系统、基础软件和技术标准,全新任务操作理念以及深空探测任务设计等。并将两大内容相结合以最终建设一个全新升级的星际通信网络。

　　喷气推进实验室新制定的一系列发展计划以满足 NASA 及其他航天部门迅速拓展的任务需要,重点聚焦于系统结构优化、降低运维费用、提高服务质量等。截至目前,喷气推进实验室正在推进的 4 项发展计划涵盖:其一,大范围技术升级和改造现有 DSN 以提高系统性能和实现数据存取及交互的接口标准化;其二,建造更大直径天线或安装小直径甚大规模天线阵列,以满足未来不断增长的数据传输需求;其三,研究开发深空光学通信网络,用来替代现有低速率的射频通信网络,将深空数据传输速率提高数个量级以满足数据高速传输需求；其四，探索以火星网为代表的星际因特网，用火星轨道上的卫星星座来支撑未来火星探测中的通信及导航需求。

自 1963 年以来，该网络一直是 NASA 深空通信的"骨干"，五十多年来美国宇航局深空网络 DSN 所接受过数据的探测器名单读起来就像是人类太阳系无人探测的名人录，"先驱者"号、"水手"号、"旅行者"号、"伽利略"号、"勇气"号、"机遇"号……当 NASA 的"火星 2020 毅力"探测器在红色星球上着陆时，DSN 就在那里，使该任务能够发送和接收数据，帮助实现这一任务。2020 年 10月，当 OSIRIS-REx 采集小行星 Bennu 的样本时，DSN 发挥了关键作用，不仅向探测器发送指令序列，而且还将其令人惊叹的照片传回地球。

2.3 部分欧洲大科学装置介绍

欧洲多国共建共管模式的成功案例——欧洲核子研究中心(CERN)位于法国与瑞士交界的梅林区域，是 1954 年由法国、联邦德国、丹麦、比利时、瑞士等 12 个欧洲国家联合成立的科研机构，后期逐步吸纳了美国、俄罗斯、日本、印度等国家作为观察员，截至目前已发展为 21 个成员国参与。欧洲核子研究中心具备一系列全球领先的大科学装置，包括多个高能物理领域的粒子加速器和探测器，以及计算能力强大的超级计算中心等。CERN 是典型的多边科学研究机构，其治理体系由各个成员国代表组成的董事会、执行委员会、科技政策委员会及财政委员会构成，其中执行委员会又包括秘书长、研究和科学计算委员会、加速器和技术委员会、行政与公用基础设施委员会等。欧洲核子研究中心的资金和运营费用按各成员国的国民收入比例分摊，其组织、运营、管理、科研和规划都反映了所有成员国的共同意愿。欧洲核子研究中心通过各成员国及参与机构的联合磋商与合作机制，不仅保障了各项大科学计划的顺利实施，而且在高能物理及相关领域取得了众多举世瞩目的科学成就。与此同时，CERN 每年还接待来自全球各地数以千计的学者交流与访问，充分体现了其多边机构的开放性与协作性。

2.3.1　英国"钻石"同步辐射光源

位于英国南牛津郡迪德科特镇的 DIAMOND 光源是政府于 2002 年批准建造的英国首台第三代同步辐射光源，其高能的辐射能量及光束性能可作为欧洲同步辐射光源 ESRF 的有益补充。它的主要目标是生成高亮度、高强度的可调光源，建成英国第一的研究基地，开展不同学科领域交叉学科的研究。DIAMOND 光源占地面积相当于 5 个足球场，2007 年建成后，逐渐取代 1980 年建在切希尔 (Cheshire)达斯伯里实验室(Daresbury Laboratory)的世界第一个第二代同步辐射装置(Synchrotron Radiation Source，SRS)。SRS 装置造价 2 亿英镑，每年运行经费 0.2 亿英镑；DIAMOND 光源一期投资 2.35 亿英镑，二期投入 1.2 亿英镑，每年运行费用 0.23 亿英镑。

英国在物理化学、纳米科学、新材料、电磁学、结构生物学、光学和环境科学等领域具有全球领先的科研实力,开展这些领域的深度研究,广谱高亮度的同步辐射光源是不可或缺和独一无二的重要工具,因为只有这样的光源才能详尽准确地"录制"物质分子和原子级的内在结构和活动。国际上领先的 3 台高能同步辐射设施分别是位于法国格勒诺布尔(Grenoble)的欧洲同步辐射设施 ESRF、美国阿贡国家实验室的 APS 和日本的 Spring-8。虽然英国占有欧洲同步辐射光源 ESRF 约 14%的实验运行资源,但仍然不能完全满足英国科学家们的研究需求。正是在这样的需求推动下英国政府做出了另行再建一台第三代同步辐射光源 DIAMOND 的决定。

三代光源 DIAMOND 的亮度比二代光源 SRS 至少高 1 万倍,比太阳光高 100 亿倍,比医院标准的 X 光机高 1000 亿倍,比普通光源高百万、甚至上亿倍。光波长范围也更加广泛,覆盖穿透力极强的硬 X 射线、软 X 射线、紫外线、可见光以及远红外光辐射。电子束在储存环中的能量加强至 3GeV。同步辐射光通过棚屋的电子单色仪被引进各个控制台和实验站。科学家可以通过光在物质内部的反射、折射和吸收情况,直接观察生命现象和物质运动,扫描出以微米计的影像,深入了解在分子和原子尺度上生命与物质的特性、结构和相互作用,为人类揭开宇宙、自然和自身的奥秘提供了重要的、不可或缺的工具,为科学家们的研究达到难以置信的细微和详尽程度提供了强有力的武器。

DIAMOND 安装在环形大厅内,注入器、增强器和控制部分位于中央区，工作人员用房和针对多学科不同需求设计的实验室位于外围和附近的建筑物里。DIAMOND 包括注入器、增强器、储存环和光束线站。注入器，为直线加速器，加速的电子能量达到 0.1GeV。增强器，配置 36 个双极弯转磁铁，利用高频电磁场将电子加速到接近光速。同时在磁扰动的影响下，电子以同步辐射光的形式释放出能量，电子束能量达到 3GeV。储存环直径 235m，周长561m，电子束继续被注入储存环，在强大导向和聚焦磁铁引导下高速运行，每秒钟绕地球 7 圈半。插入件安装在储存环的 22 个直线段中，它使电子做扭摆运动，以产生更强烈的可调谐光。光束线站，同步光的电磁谱覆盖红外线、紫外线和超强 X 射线。光束被弯转磁铁引导穿过储存环墙引入实验线站。DIAMOND 光源结构示意如图 2-23 所示。

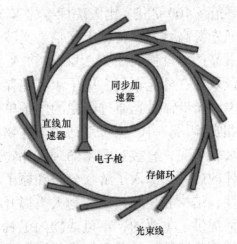

图 2-23　DIAMOND 光源结构示意图

　　光束线站又由 4 个主要部分组成：前端，从储存环出口处引出光束。棚屋，一定波长的光在这里被选择、聚焦，其中配备单色器、反射镜、狭缝、滤波器和透镜组等各种光学部件。线站实验室，配备样本位置远程调节器、探测器等各种实验仪器，用于观察样品，用 X 射线照相机检测 X 射线与样品的相互作用。监控室，用户从各方面操纵设备，监视和控制实验的每一环节，同时收集并分析实验数据。光束线站示意及平面布置如图 2-24 所示。

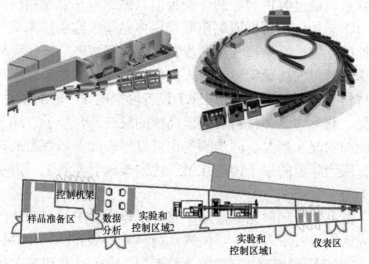

图 2-24　光束线站示意及平面布置图

DIAMOND 光源同步辐射技术主要分为三个类别：衍射(和散射)、光谱和成像。不同的光束线站实验室可以开展不同类型的实验，具有不同的实验性能。DIAMOND 同步辐射光源设计有 30 个光引出口，光通过光束线被引到各个实验站提供给实验者。多个学科的科学家可开展从寻找新物质(如机翼所用材料)、新医药以及进行解决各类环境问题的研究。

DIAMOND 向国内和国际的科学家、工业企业界开放，广泛开展应用于生物学、基础物理和化学、新材料科学、工程、饮食和考古文化等多领域的活动，尤其支持生命医学、物理和环境科学等方面的突破性研究。在设计之初就规定 DIAMOND 光源将优先满足结构生物学发展的需要，目前结构生物学研究比例占到 40% 左右。通过对生物大分子三维结构的观察，得以揭示分子结构与其功能之间的紧密联系；通过解析病毒的外壳蛋白、癌细胞基因等病原体的 3D 结构，可帮助研制阻断病原体感染细胞或抑制其致病性的药物；科学家利用同步辐射光能够清晰了解各种材料原子层级的精确构造，深入探究材料性能，并开发新环保材料。地球学家可以利用这个设备模拟地球中心的条件、状况，获悉物质和材料对高温高压的反应，在分子、原子层面的状况。当然，同步辐射也可以用来改善巧克力的口味，因为味道的原子构造在第三代同步辐射光源下可以一览无遗。

　　没有同步辐射光源很多研究难以开展，DIAMOND 的研究课题涉及了多个重要领域，并获得了丰硕的科研成果：F1 ATP(三磷酸腺苷)酶结构的确定获得了 1997 年诺贝尔化学奖；协助开发抗流感药物达菲和乐感清；协助确定手足口病病毒的结构及特性，并成功开发出预防疫苗；助力研究非核苷抑制剂，使之成为下一代非核苷艾滋病病毒 HIV 的抗逆转录病毒的基础；帮助研究疟疾寄生虫在红细胞中的存活过程，并成功研制抵抗疟疾的新药；探索纯可可实时结晶难题，寻找巧克力生产的最佳条件；通过 X 射线荧光分析法，研究贝多芬的毛发和头盖骨碎片样本，判断贝多芬是否中毒身亡，揭开重大的历史之谜；利用强 X 射线的穿透性筛查大型复杂工件,精准快速的探明金属疲劳度,判断工件的健康程度,改善如飞机涡轮和机翼等关键零部件的质量,大幅降低航空事故……

2.3.2　欧洲同步辐射光源

欧洲同步辐射光源(European Synchrotron Radiation Facility,ESRF)是全球首座第三代同步辐射光源,其为基于同步辐射专用储存环的高性能装置,专用于探寻微观世界的奥秘,常被称为"超级显微镜",是一种能够支撑多学科交叉前沿研究和高新技术应用开发所不可或缺的先进大科学装置。基于 ESRF 的规模庞大、造价高昂、运行维护复杂,法、德等欧洲 12 国于 1988 年联合投入约 2.2 亿法郎在格勒诺布尔市(Grénoble)共同建造。格勒诺布尔位于欧洲最高山脉——阿尔卑斯山的门户位置,是法国东南部重要的科学研究和高新技术工业重镇,被誉为"法国硅谷"。ESRF 于 1994 年启用,其能够提供高精度和高亮度的光源,电子束能量高达 60 亿电子伏特(6GeV),是整个欧洲乃至全球的工业界和科学界不可多得的研究工具及手段。

同步辐射光源帮助科学家得以探索原来人类无法想象的物质细微结构,被誉为科学界的"神灯"。迄今为止,世界上 90% 的生物大分子,包括蛋白质、ADN、ARN、核糖体、核小体或者病毒等都是借助同步辐射光解析的。2003年,欧洲同步辐射光源与同处一地的劳厄·朗之万研究所、欧洲分子生物学实验室、让·皮埃尔·埃贝尔结构生物学实验室一起组建格勒诺布尔结构生物学联合体(Partnership for Structural Biology,PSB),专门研究医用蛋白质结构。

其中，劳厄·朗之万研究所是全球最为重要的中子源产生地，欧洲分子生物学实验室以研究生物分子结构而闻名，而让·皮埃尔·埃贝尔结构生物学实验室是全法最著名的结构生物学科研机构。

　　欧洲的 ESRF 与日本的 SPring-8、美国的 APS、德国的 Petra III 被视为世界上现有的四大高能光源。注入器、增强器和储存环三者构成了 ESRF 的主要组成部分，加速后的电子束在储存环中通过谐振器振荡，激发出大量高精度、高亮度的光，电子束能量可高达 60 亿电子伏特(6GeV)。其中，注入器通过一个 200MeV 的直线加速器将电子束在真空电场环境中逐步加速至接近光速；增强器是一个内含加速腔和偏转磁铁的 300m 周长同步加速器，电子束能量会随着磁场效应逐渐增强而最终增大至 6GeV；储存环内部放置 64 个偏转磁铁、320 个四级磁铁和 224 个六级铁，共计 16 个单元，每个单元有一个 6m 长的直线节，其中装有长 5m 的波荡器及扭摆器，电子束团在储存环内每秒钟高速旋转 30 万圈。ESRF 光源的结构示意如图 2-25 所示[20]。

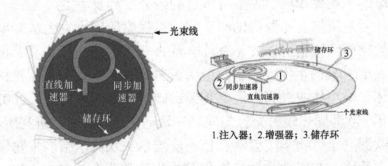

图 2-25　ESRF 光源的结构示意图

　　ESRF 的输出光束线数量由刚建成时的 12 条逐渐扩展至现如今的 40 条，每条光束线通常由 2 名科学家、2 名博士后和 1 名技术人员负责管理维护。ESRF 的 40 条光束线分为公共光束线和合作研究组(CGR)光束线两大类，分别归属于物理科学(聚合物结构、材料结构、电子结构和磁学、动力学和极端条件)和生命科学(结构生物学、X 射线成像)两大领域。ESRF 光源的束线分布及分组如图 2-26 所示。

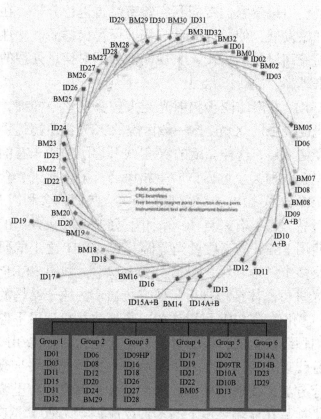

图 2-26　ESRF 光源的束线分布及分组图

ESRF 束线和实验站配备了尖端设备和仪器，包括：①棚屋：包括通光孔、筛选机、单色仪、镜子。②实验站：显微镜、光谱仪等提供精确的信息。在大分子结晶方面，采用机器人摆放、固定样品，大大节约了实验时间。③检测仪：多为电子检测仪，种类繁多，以保证检测的高效、快速和高分辨率。④控制间：每条线站的运行有专门的软件控制，自动管理超大数量的数据和图像。科学家从实验室进行远程控制，也将逐渐成为可能。⑤数据分析：大部分数据仍由科学家们带回到实验室后再进行分析。在线分析已开始发展，使研究人员当场即可得出样品概念性的结果。随着高科技的进步，大规模的数据对信息处理的要求也越来越高。

ESRF 发出的同步辐射光光束像头发丝一样细，大部分是光度极强的 X 光，比一般医院的 X 光机所能提供的光束要亮亿万倍，这样亮度的 X 射线开启了前所未有的探测领域。全欧洲甚至世界许多生物医药、冶金建筑、食品农产、造纸化学、微电子等行业的相关大集团都会利用 ESRF 研制新品，每年有来自 40 余个国家的 6000 余人次的研究人员使用 ESRF 的高质量光源做实验。ESRF 之上的研究项目涉及多个科学领域，包括：①生物学，利用 ESRF 输出的 X 光进行晶体结构分析是研究蛋白质内原子结构的上佳途径；②化学，ESRF 可以作为一个超快相机记录下催化反应时纳秒级甚至皮秒级的分子结构变化；③医学，用 ESRF 光源替代现有的 X 光医疗影像设备，并可能进一步改善癌症诊疗方法；④地球科学，基于 ESRF 探究地心土壤采样等微小样品在极端环境下的多种反应；⑤物理，ESRF 可用作在纳米层次研究物质结构、粒子、磁场等相关特性及其之间联系的重要工具;⑥材料学,ESRF 给予科学家研究半导体、聚合体、合金、触媒等各种材料提供无限可能;⑦环境科学,科学家正在利用 ESRF 开发清洁能源,分析受到辐射污染的土壤和水;⑧工业应用,利用 ESRF 模拟工业制造时的电磁场、温度、湿度、压力、化学反应等极端条件。

自 1994 年启用以来,ESRF 一直运行稳定,从未发生过故障,是全球性能最好最可靠、用户最多最广、成果最多最具影响力的 X 射线辐射光源。100%可用性的优质光源为科学研究的成功提供了强有力的工具保障。基于 ESRF 科学家们取得了占全球 20%的重要科研成果,发表的高水平论文几乎刊登于过往每期的《科学》和《自然》刊物。例如:利用 ESRF 发出的同步辐射光束解析具备极高强度和韧性的蜘蛛网丝分子结构;通过 ESRF 同步辐射 X 光成像技术映射雪花的 3D 多孔结构,用以预测雪崩;针对多孔沸石在化学工业中的广泛应用,高亮度的 ESRF 同步辐射光让科学家能够精确判明活性区域位置及化学反应状况;ESRF 的 X 光可用于肿瘤的早期筛查,并在癌症放化疗时优先杀死病变的坏死细胞……

2009 年的诺贝尔化学奖表彰了美国科学家文卡特拉曼·拉马克里希南(Venkatraman Ramakrishnan)、托马斯·施泰茨(Thomas A. Steitz)和以色列科学家阿达·约纳特(Ada E. Yonath)三人在原子层面揭示核糖体结构及功能的卓越贡献。他们在 ESRF 之上成功利用 X 射线蛋白质晶体学方法绘制出核糖体无数个原子构成的 3D 结构,不仅使得核糖体的形状被人所知，而且还在原子层面揭示了其功能机理，这对研制新的抗生素以减少病痛和拯救生命具有非凡的意义。

2.3.3　欧洲大型强子对撞机

欧洲大型强子对撞机(Large Hadron Collider，LHC)作为一种高能物理装置将加速的粒子碰撞，由此为物理科学家开启探寻未知粒子以及微观量化粒子"新物理"机制的一扇窗。LHC 是目前全球规模最大、参与国最多、能量最高的粒子加速装置，超过三十多国和两千余位物理学家所属的高校和实验室共同参与前期投资建设及后期运行管理，是典型的基于多国共建共管模式的大科学装置。欧洲大型强子对撞机坐落于欧洲核子研究中心(又名欧洲粒子物理实验室)，是其重要的组成部分。LHC 深埋于法国和瑞士交界处的地下 100m，圆形的环状加速器隧道周长 27km，前后耗时 25 年建成，总投入约 50 亿瑞士法郎。

LHC 这个全球最大、能量最高的粒子加速装置能够将相向而行的两束质子加速到极高的能量态，并产生碰撞后释放出一系列让人无法想象的微观量化粒子，此过程正好可以用于模拟宇宙大爆炸，以揭示宇宙起源等诸多未解之谜。数十年以来，科学家们一直努力探寻构建宇宙的基本粒子及其之间的交互作用，不断丰满完善粒子物理学的"标准模型"，但苦于缺乏有力的实验装置支持以及大量的实验数据验证，导致"标准模型"一直无法形成一个完整严谨的"拼图"。LHC 的出现正好弥补了平台支撑和数据供给两方面的缺憾。LHC 被科学家们寄予厚望以帮助解答一系列奥秘：决定基本粒子质量的希格斯机制是否真实可靠？希格斯粒子的种类及质量分别为多少？每个粒子是否存在与其相对应的超对称粒子？物质与反物质的不对称该如何解释？该如何理解宇宙中 96%的质量无法观测到？万有引力与弱作用力、强作用力和电磁力这另外三个基本作用力相比，为何不在一个数量级？

　　LHC 的结构，总的来说，它由三个部分组成。第一个部分就是最为壮观的粒子加速环，或者叫粒子加速管道，在一条长达 27km，接近于完美的圆形隧道中，平行放置了两条真空管道，管道被超导磁铁包裹着，用液氦冷却到接近绝对零度。质子束在两条管道中被分别加速，一束质子顺时针运动，一束质子逆时针运动，这样才能实现迎头相撞的效果；第二个部分是碰撞点，在 27km 长的环形管道上，设置了一共四个碰撞点；第三个部分就是探测器，这是 LHC 最为核心的部件，一共有 7 大实验探测器。欧洲大型强子对撞机结构示意如图 2-27 所示[21]。

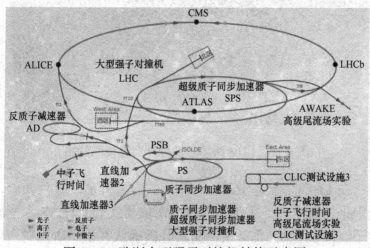

图 2-27　欧洲大型强子对撞机结构示意图

　　LHC 的加速通道由两个质子束管构成，管道四周包裹超导磁铁用以加速粒子，散热通过液态氦冷却。被加速的质子在整个圆形环状加速器管道中反向而行，以便产生碰撞。LHC 加速环的四个碰撞点分别装有偏向磁铁和聚焦磁铁用于引导碰撞后生成的新粒子至附近地穴中的五个探测器，包括超环面仪器(ATLAS)、紧凑渺子线圈(CMS)、LHC底夸克探测器(LHCb)、大型离子对撞器(ALICE)和全截面弹性散射探测器(TOTEM)，其中前两者是通用型粒子探测器，而后三者是小型特殊目标探测器。LHC 碰撞点和探测器整体结构如图 2-28 所示。

图 2-28　LHC 碰撞点和探测器整体结构图

　　在 LHC 之上基于国际合作模式总共开展了 6 项实验，分别是：两项大型实验——超环面仪器实验 ATLAS 和紧凑渺子线圈实验 CMS，用以交叉分析确认在质子碰撞时产生的数量巨大的新粒子；两项中型实验——大型离子对撞机实验 ALICE 和 LHC 底夸克实验 LHCb，用以分析确认与特殊现象相关的碰撞；两项小型实验——全截面弹性散射探测器实验(TOTEM)和 LHC 前行粒子实验(LHCf)，用以探测分析质子或者重离子等"前行粒子"。每项实验的功能和目的各不相同，这与实验所用的各种粒子探测器的独特性能息息相关。6 项实验中的 ATLAS、CMS、ALICE 和 LHCb 四个探测器分别安装在位置靠近 LHC 的四个地下巨型洞穴中，TOTEM 实验和 LHCf 实验所用的探测器分别布置于 CMS 探测器和 ATLAS 探测器附近。

　　LHC 可将环形加速器中相向而行的两束质子束加速至 14TeV(14 万亿电子伏特)的高能量态，质子束碰撞之后的状态可与宇宙大爆炸后不久的状态相比拟，科学家们正好利用碰撞后生成的产物来模拟研究宇宙形成时的各种物理现象，"标准模型"曾经预言的"上帝粒子"、探索超对称、额外维等新粒子和新物理现象就是这样被发现的。LHC 从 2008 年启用至今，发现并验证了上帝粒子——希格斯玻色子、"夸克奇异重子"的存在，未来随着 LHC 性能的进一步提升，还有待发现超对称粒子、希格斯耦合粒子和粒子的额外维相。

　　欧洲大型强子对撞机的建成运行是人类科研手段及方法跃升的里程碑事件。反物质的形成与合成就是其最好的印证，反物质拥有极高的能量密度，仅少量的反物质就能与物质在湮灭过程中释放产生与核弹相当的百万吨当量级的能量，且湮灭过程中的质能转化率高达 100%，是核弹爆炸的数十倍。如果找到反物质及其合成方法，未来将有效克服人类面临的能源危机，不但可以利用反物质发电厂输出清洁电能,而且人类有望乘坐反物质燃料推动的航天飞机进行星际旅行。除此之外,LHC 大科学装置的建造及运行过程中还产生了许多让人意想不到的科研成果,例如现如今商业用户已达数十亿人的环球网 WWW(World Wide Web)就诞生于欧洲核子研究中心,其最初被开发主要是用来连接分布于全球不同位置的科学家们进行高效的信息传输和共享。医学上改进癌症的传统治疗方法、核物理领域创新销毁核废料的途径以及气象学中帮助科学家研究气候变化等方面也是 LHC 的重要应用方向。

欧洲核子研究中心于 2019 年 8 月宣布,升级版的高亮度大型强子对撞机项目正在有序开展,预计 2026 年建成运行,它将作为 LHC 的未来继任者,其性能相比 LHC 得到大幅提升,能量及亮度将超出 5～10 倍。

2.3.4 欧洲联合环反应堆

欧洲联合环反应堆(Joint European Torus, JET)是目前全世界唯一能够使用氘和氚这种混合燃料进行运行的装置,它位于英国牛津郡卡勒姆(Culham)的英国原子能管理局基地。由欧洲聚变计划 EUROfusion 的成员共同设计和建造,自 1983 年开始,平时由英国牛津的卡勒姆聚变能源中心负责技术运营,此外 EUROfusion 实验室的技术人员也会定期来 JET 进行工作。

JET 在 1973 年开始设计的时候是世界上最大的磁约束核聚变物理实验反应堆,1979 年开始建设,1983 年开始运转,1991 年 11 月 9 日首次进行氘氚实验,其设计目的是实现 Q 值(输出与输入之比)为 1。它为一个镶嵌在直径 15m、高约 20m 的容器内的环状反应堆。其工作流程是首先输入 0.1g 冷却氢燃料至反应堆内，然后利用电流、无线电波、粒子束等产生的冲击波加热氢燃料，直至燃料氢原子摆脱其环绕电子，最后生成足以使氢原子核发生聚变反应的电子和离子的等离子体。

JET 的核心是真空容器，在此容器内聚变等离子体通过强磁场(高达 4T)和等离子体电流(高达 5MA)被限制。在目前的配置中，等离子体环的主半径和次半径分别为 3m 和 0.9m，总等离子体体积为 90m³。真空容器底部的偏滤器允许以受控方式释放热量和气体。自 2011 年以来，真空容器的第一道壁由铍和钨制成，反映了 ITER 的材料选择。

JET 的其他一些显著特征还包括：一个灵活而强大的等离子体辅助加热系统，由中性束注入(34MW)、离子回旋共振加热(10MW)和低混合电流驱动(7MW)组成；一套广泛的诊断套件，由大约 100 个单独的仪器组成，每个等离子体脉冲可捕获高达 18G 的原始数据；用于等离子体加注和 ELM 起搏研究的高频弹丸注射器；用于等离子体破坏研究的大型气体注入阀；使用氚燃料运行的能力——在今天的托卡马克中是独一无二的铍处理设施，允许使用铍等离子体组件；远程处理设施，允许在真空容器内执行高级工程工作，无需人工进入。欧洲联合环反应堆的内部结构如图 2-29 所示。最初设计和建造的欧洲联合环反应堆的主要参数如图 2-30 所示[22]，所有这些参数随后都已达到或超过。

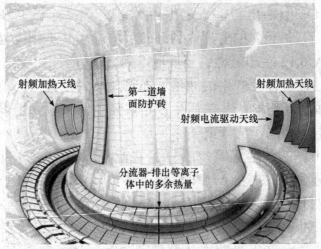

图 2-29　欧洲联合环反应堆的内部结构图

参数	数值
最大等离子体次半径(水平), a(m)	1.25
最大等离子体次半径(垂直),b(m)	2.10
等离子体主半径,R_0(m)	2.96
等离子体纵横比,R_0/a	2.37
等离子体伸长率,$e=b/a$	1.68
平顶脉冲长度(s)	Up to 20
环形磁场(等离子体中心)(T)	3.45
等离子体电流	
圆形等离子体(MA)	3.2
D形等离子体(MA)	4.8
伏特-秒可用(V-s)	34
环形磁场峰值功率(MW)	380
极向磁场峰值功率(MW)	300
额外加热功率(等离子体内)(MW)	25
射频功率(MW)	15
中性光束功率(MW)	10

图 2-30　最初设计和建造的主要参数图

　　核聚变长期以来被认为是一种理想的未来绿色能源，像太阳这样的恒星就是通过核聚变获得动力的，因此它又被称为"人造太阳"。核聚变的主要过程，是在高温下将氢的同位素——氘和氚融合在一起，形成氦，同时这一过程会以热量形式释放出巨大能量。此外，通过核聚变可以在全球范围内实现仅仅以廉价材料中获取的少量燃料，就能在长期时间内获得近乎无限的清洁电力能源；更重要的是，核聚变本质上是十分安全的，因为它不会引起"失控"链式反应。

　　在 ITER 装置实现实验运行前，JET 保持着三项世界纪录：世界最大的托卡马克装置；在 1991 年的运行中首次实现氘氚聚变反应；保持着聚变产能的世界纪录(1997 年的实验产生了 16MW 聚变功率)。1997 年，JET 在外界输入24MW 功率来加热氘氚混合气体后达到峰值输出功率16.1MW(具体而言，是将约 4MW 的平均输出功率维持了约 4s，其中约 0.5s 间输出功率超过 10MW)，创下核聚变输出功率的世界纪录，这约 0.67 的 Q 值也是目前人类手中最高的。

　　而对于这一理想的未来能源，最近又有了新的进展。2022 年 2 月，国际热核聚变实验堆计划(ITER)、欧洲核聚变研发创新联盟(EUROfusion)、英国原子能管理局(UKAEA)三家合作机构共同宣布，在 2021 年 12 月，来自欧洲的研究团队实现了受控核聚变能量的新纪录：它们在目前世界上最大的聚变反应堆，即在欧洲联合环(JET)中，将氢的同位素氘和氚加热到了 1.5 亿摄氏度并稳定保持了5s，同时核聚变反应发生，原子核融合在了一起，释放出

59MJ 的能量。有测算称，这相当于 11MW 电力，大约能够为一个普通家庭提供一天的电力。这是自 1997 年以来，世界首次氘氚核聚变实验。59MJ 这一受控核聚变能量数值，打破了 25 年前同样也是 JET 创下的 22MJ 的纪录，并且是上次纪录的 2.5 倍以上。

国际热核聚变实验堆(ITER)是欧洲联合环(JET)装置的升级版，也是当前能与国际空间站项目相提并论的全球合作大科学工程计划。截至目前，共有欧盟、美国、中国、俄罗斯、日本、韩国和印度七个全球主要的核国家及地区参与承担 ITER 项目，涵盖全球近八成的 GDP 和一半左右的人口。ITER 项目将基于欧洲联合环 JET 已有的科技成果，并融合当今全球受控磁约束核聚变技术的最新进展，计划首次建造可实现大规模商用的核聚变反应堆，并研究解决一系列工程技术问题，将科学实验进一步推向商业化应用，迈出人类受控核聚变实用化的关键一步，得到了全球科技界及各国政府的高度重视和大力支持。ITER 计划经过前期 10 年的建造阶段、中期 20 年的运行及开发利用阶段和后期 5 年的核材料去活化阶段，总共历时 35 年之久。它建立在由 TFTR、欧洲联合环状反应堆(JET)、JT-60 和 T-15 等装置所引导的研究之上，并将显著的超越所有前者。ITER 是世界上最大的托卡马克装置，预计将于 2025 年完成组装，于 2070 年前后商业的核聚变反应堆开始发电。ITER 最开始预计成本约为 100 亿欧元，但是随着项目的推进，原材料价格上涨和初始设计变更使得这一数额大幅增加至 160 亿欧元[23]。

JET 和 ITER 这两个核聚变装置，使用的其实是类似的原理和方法——两者都是托卡马克(Tokamak)装置：被包裹在强大磁铁网格中的环状容器，其中的磁铁可以将超热电离气体或等离子体固定在适当的位置，并防止其接触和熔化容器壁。ITER 是一个 20m 宽的巨型托卡马克装置，可容纳的等离子体是 JET 的 10 倍。根据模拟，等离子体的体积越大，热量就越难以溢出，从而可以使核聚变条件保持的时间更长。因此，JET 也一直被视为 ITER 计划的重要试验台。JET 和 ITER 两者之间的大小比较如图 2-31 所示。

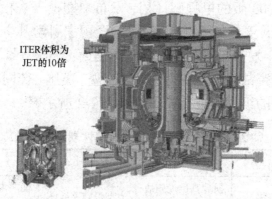

图 2-31　JET 和 ITER 两者之间的大小比较图

2.4　国外大科学计划经验启示

目前，欧、美、日等主要发达国家及地区已将大科学工程及计划纳入国家科技发展总体战略规划。欧盟已经分别发布了 5 个版本(2006、2008、2010、2016 和 2018 年)的《欧洲研究基础设施路线图》，欧洲的英国、德国、法国、荷兰等 20 多个国家研究制定了本国的重大科研基础设施发展路径。尤其是英国分别于 2001、2003、2005、2008 及

2010 年公布了自己的大型科研基础设施发展路径，并在 2012 年还公布了《投资于增长：面向 21 世纪的科研基础设施投资》战略框架。美国、日本等国同样也制定了许多与本国大科学计划发展相关的政策及规划。美国虽然不设立国家重大科学项目的战略规划，但是其一些特定职能部门，例如美国能源部（DOE）2003 年 11 月宣布了面向未来 20 年的《未来科学设施计划》，提出今后 20 年间将要建设的 28 个大型科学设施建设项目；并在 2007 年 10 月全面更新了 2003 版的里程碑计划，发布中期报告《未来科学设备：20 年展望》；另外，能源部还联合国家科学基金会（NSF）于 2014 年发布了《为科学发现而建设：全球背景下美国粒子物理研究战略规划》等文件。欧盟、英国、美国制定的大科学计划的组织实施相关信息如表 2-2 所示[24]。

表 2-2　欧盟/英国/美国制定的大科学计划的组织实施概况图

	欧盟	英国	美国
规划名称	研究基础设施战略报告(路线图)	大型设施路线图	面向未来的科学设施：20 年展望
规划性质	欧盟级	国家级	部门级
制定机构	欧洲研究基础设施战略论坛(ESFRI)	英国国家科研与创新署(UKRI)，其前身为英国研究理事会(RCUK)	美国能源部科学办公室
发布年份	2006、2008、2010、2016、2018	2001、2003、2005、2008、2010、2012、2019	2003、2007
更新频率	2 年	2 年或以上	不定期

续表

	欧盟	英国	美国
提案提交方	成员国、联系国以及 EIRO 论坛成员	英国研究理事会	六大科学计划负责人
项目评审方	执行委员会、战略工作组、实施工作组	英国研究理事会执行小组	各计划的咨询委员会、科学办公室
设施入选原则	科学性、成熟度、战略性	处于国际层面：支持多个研究理事会研究团体的要求；是单个研究理事会预算项目的重要组成部分	科学重要度、建设就绪度
资金门槛	—	2500 万英镑以上	5000 万美元以上
优先领域	能源；环境；健康与食品；物理科学与工程学；社会和文化创新；数据、数字和计算	能源；环境；生物科学、健康和视频；物理科学与工程；社会科学、艺术和人文科学；计算和电子基础设施	基础能源；聚变能；生物和环境；高能物理；核物理；先进科学计划

基于欧美日主要发达经济体制定大科学计划的组织实施情况，可总结出国外大科学计划在管理模式、领域选择、遴选标准、更新机制、风险评估等方面的经验启示。

一是实行"集中布局+各部门管理"的一体化管理实施模式。为了保障国家大科学计划及项目的顺利开展及实施，通常各类大科学计划或路线图的研究制定单位同时也兼任重大科技项目的协调及监管职能。例如美国能源部是最大的国家实验室资助部门，下辖 17 个国家实验室，其中 10 个国家实验室由旗下的能源部科学办公室(DOE Office of Science, SC)监管，其又下设 6 个分业务办公室分别通过 6 大科学计划支持本领域内的大科学装置建设。这些组织可以依托理事会或分业务办公室开展重大科技项目的推荐、遴选、征集及管理等工作，同时，纳入计划或路线图的项目是未来获得资助的前提条件或优先选择，这意味着重大科学项目纳入路线图，获得资助，并在建设、运营和维护周期内进行全周期管理。

二是立足国家优势，选择大科学计划的优先发展方向。在制定计划/路线图时，各个国家会考虑其当前的研究状况、政府愿景和资金优先事项。以英国 2010 路线图、欧盟 2018 路线图、美国能源部《面向未来的科学设施：20 年展望》为参考，主要涉及能源与环境、健康与食品、物理科学与工程、社会与文化创新、计算与电子等领域的基础设施。从各个领域的设施分布来看，物理科学与工程、健康与食品、能源与环境等领域的设施在各个国家及地区受重视程度较高。其中，物理学领域涵盖的大科学装置最多，占总共数量的三分之一还多。特别是在美国，优先支持归属于能源部和国家科学基金会的大科学装置项目，能源部着重布局了粒子加速器、先进光源、同步辐射光源、热核聚变装置等高能物理和基础能源领域；而国家科学基金会则侧重于天文和地球科学领域，如天文台、望远镜、极地计划和海洋科学考察船等。

三是重视选定的大科学项目的理论性、成熟性和国际性。理论性确保所选设施能够解决最重要的科学问题并为其领域做出重大贡献，成熟性确保大科学装置的工程可行性以及建设和运行成本的可接受度，而国际性确保整个大科学项目从始至终的开放与协作。以美国《面向未来的科学设施：20 年展望》为例，能源部顾问委员会审查 53 座拟建设的设施时的标准是科学意义和建设准备情况。针对科学意义而言，拟建装置将在多大程度上回答重要的科学问题？设施建设是否会创造新的学科之间的协同？科学界对设施的需要程度多大？针对施工准备而言，大科学装置的概念验证是否严谨务实？设施建设相关的工程技术问题是否研判及解决？如何保证设施建设的技术可行度和运行成本的可接受度？除此之外，英国明确将"国际合作"作为纳入大科学计划路线图或资助的前提条件，还提出英国主导、欧盟协作、全球合作、分布式参与这四种合作模式。

四是建立了大科学项目的定期监测评估及更新淘汰机制。欧盟利用大科学计划及路线图来规划未来长期的科研基础设施布局，并与时俱进地不断定期更新，其主要体现在：一方面更新路线图的方法论，指导改善对科研基础设施的规划、遴选、组织和管理等工作；另一方面，更新入选路线图的大科学装置，例如欧洲研究基础设施战略论坛项目的"10 年周期规则"，即入选项目如果在欧盟路线图上停留了 10 年且仍无法进入实施阶段，则将被剔除。除此之外，欧盟还对欧洲研究基础设施战略论坛上确定的标志性大科学装置进行定期的审查试点。

五是重视项目的商业可行性和风险评估。美国能源部会在大科学项目定义阶段开始执行风险评估工作和实施风险流程管理。而英国对大科学项目的风险防控主要体现在三方面：一是项目在申请大型研究型基金资助前需要对商业可行性进行管理审查；二是优先资助大规模研究基础设施必须考察经济效益、投入产出比、技术风险水平以及实施过程管理等成本风险要素；三是政府商务办公室在审批过程中对大科学项目分配"中等"及以上风险等级并由专人跟踪评估[25]。

第 3 章　我国发展现状

3.1　国内大科学装置发展历程

大科学装置是我国为突破重大科技前沿，攻克经济社会和国家安全中基础性、前瞻性和战略性的科技问题而投资兴建的研究基础设施。大科学装置是实现科技前沿突破的必要条件，是推动国家经济社会发展的科技保障，是促进高新技术和产业升级的驱动力，是提升国际合作和培养科技人才的重要平台。我国大科学装置建设是在 20 世纪五六十年代"两弹一星"工程的推动下起步的。80 年代改革开放后，随着我国科研投入的不断增加，大科学装置的涉及领域也越来越广泛，其在推动我国科学技术进步、助力经济社会持续健康发展、保障国家重大科技安全等诸多方面都发挥了不可或缺的关键性作用。

我国大科学装置的发展分三步走，从无到有、由小变大，从跟随到创新：初始期，20 世纪五六十年代，聚焦"两弹一星"国家工程，掀开了科学基础设施建设的序幕；成长期，80 年代，邓小平同志给北京正负电子对撞机奠基，标志着科学基础设施建设迈上新征程；发展期，90 年代后，我国大力实施科教兴国战略，大科学装置数量、规模和领域逐渐扩展，开启了科技基础设施发展的新华章。我国大科学装置的发展历程如图 3-1 所示[26]。

图 3-1 我国大科学装置的发展历程图

3.2 国内大科学装置现状概况

从 1988 年我国首个大科学装置建成至今,我国已建设 57 个重大科技基础设施。其中多个设施的技术性能达到国际领先水平, 例如世界首个全超导托卡马克核聚变实验装置(EAST)、世界第一大单口径球面射电望远镜(FAST)等。

"七五"期间, 5 个科学项目被列入国家重点建设项目, 其中有 2 项总投资为 3.4 亿元的重大科技基础设施;国家在"八五"和"九五"期间持续增加重大科技基础设施投入, 至"十五"期末, 投资增至 40 亿元左右。改革开放之后, 以邓小平同志为北京正负电子对撞机项目奠基为标志, 开启了我国重大科技基础设施建设的新征程, 该工程的成功启动也为我国重大科技基础设施的建设树立了高水准的标杆。20 世纪 80 至 90 年代, 兰州重离子研究装置、神光装置、合肥同步辐射加速器等设施相继建成, 标志着我国重大科技基础设施建设开始向多学科领域扩展。2000 年以后, 郭守敬望远镜、上海光源、"实验 1"科考船等新一批设施项目启动建设。

我国在"十一五"期间先后启动了脉冲强磁场实验装置、500m 口径球面射电望远镜、"科学"号海洋科学综合考察船、大陆构造环境监测网络、东半球空间环境地基综合监测子午链(子午工程一期)、地下资源与地震预测极低频电磁探测网等 12 项重大科技基础设施建设,总投资突破 60 亿元。重大科技基础设施建设运行及开放共享水平不断提升,科研产出能力大幅提高。

我国"十二五"时期根据评估国家重大战略需求和科学技术发展趋势,在国家发展急需且具备前沿突破先兆以及比较发展优势的重大领域中,综合考虑研究意义目标、技术可行性、已有研究基础和科研团队建设等多种因素,优先启动高能同步辐射光源验证装置、上海光源线站工程、中国南极天文台、精密重力测量研究设施、地球系统数值模拟器、未来网络试验设施等 16 项重大科技基础设施建设。尤其是未来网络试验设施(CENI)将建成由国内 40 个城市核心节点和 133 个边缘节点构成的覆盖最广的大规模通用试验平台,满足未来网络空间安全、下一代互联网、天地一体化网络、军民融合网络和工业互联网等领域的创新需求。

我国在"十三五"期间优先布局了 10 个项目,包括空间环境地基监测网(子午工程二期)、极深地下极低辐射本底前沿物理实验设施、高能同步辐射光源、硬 X 射线自由电子激光装置、超重力离心模拟与实验装置等。设施筹备论证的后备项目有 5 项,例如北京在线同位素分离丰中子束流装置、生物医学大数据基础设施、作物表型组学研究设施等纳入通过专家综合评审的后备大科学装置。我国重大科技基础设施建设开启了快速发展的新华章,呈现出"技术更先进、体系更完整、支撑更有力、产出更丰硕、集群更明显"的新发展态势。部分国内大科学装置概况如表 3-1 所示[27,28]。

表 3-1　部分国内大科学装置概况

设施 名称	牵头 单位	所在 位置	建设 状态	设施 类型	建成 时间
北京正负电子对撞机	中国科学院高能物理研究所	北京	建成	专用研究装置	1988
兰州重离子研究装置	中国科学院近代物理研究所	兰州	建成	专用研究装置	1988
合肥同步辐射加速器	中国科学技术大学	合肥	建成	公共实验平台	1989
中国遥感卫星地面站	中国科学院遥感与数字地球研究所	北京	建成	公益基础设施	1986
长短波授时系统	中国科学院国家授时中心	西安临潼	建成	公益基础设施	1983
上海"神光"系列高功率激光装置	中国科学院上海光学精密机械研究	上海	建成	专用研究装置	2000
全超导托卡马克核聚变实验装置(EAST)	中国科学院等离子体物理研究所	合肥	建成	专用研究装置	2006
遥感飞机	中国科学院遥感与数字地球研究所	北京	建成	公益基础设施	1986

续表

设施名称	牵头单位	所在位置	建设状态	设施类型	建成时间
稳态强磁场实验装置	中国科学院合肥物质科学研究院	合肥	建成	公共实验平台	2017
LAMOST 望远镜	中国科学院国家天文台	河北兴隆	建成	专用研究装置	2009
国家蛋白质科学研究(上海)设施	中国科学院上海生命科学院	上海	建成	专用研究装置	2014
大亚湾反应堆中微子实验	中国科学院高能物理研究所	广东深圳	建成	专用研究装置	2012
上海光源	中国科学院上海应用物理研究所	上海	建成	公共实验平台	2009
软 X 射线自由电子激光试验装置	中国科学院上海应用物理研究所	上海	建成	公共实验平台	2019
中国西南野生生物种质资源库	中国科学院昆明植物研究所	昆明	建成	公益基础设施	2009
"实验1"科考船	中国科学院声学研究所	广州	建成	公益基础设施	2009
陆地观测卫星数据全国接收站网	中国科学院遥感与数字地球研究所	北京喀什三亚	建成	公益基础设施	2017

"十一五"期间

脉冲强磁场实验装置	华中科技大学	武汉	建成	公共实验平台	2014

续表

设施 名称	牵头 单位	所在 位置	建设 状态	设施 类型	建成 时间
500 米口径球面射电望远镜(FAST)	中国科学院国家天文台	贵州黔南州	建成	专用研究装置	2016
"科学"号海洋科学综合考察船	中国科学院海洋研究所	青岛	建成	公益基础设施	2012
航空遥感系统	中国科学院电子学研究所	北京	建成	公益基础设施	2021
结冰风洞	中国空气动力研究与发展中心	四川绵阳	建成	公共实验平台	2013
大陆构造环境监测网络	中国地震局地壳运动监测工程研究中心	北京	建成	公益基础设施	2012
重大工程材料服役安全研究评价设施	北京科技大学	北京	建成	公共实验平台	2016
蛋白质科学研究设施	军事医学科学院、清华大学、中国科学院上海生命科学研究院	北京上海	建成	公共实验平台	2018
东半球空间环境地基综合监测子午链(子午工程一期)	中国科学院空间科学与应用研究中心	多地	建成	公益基础设施	2012
农业生物安全研究设施	中国农业科学院	北京	未开工	公益基础设施	/

续表

设施 名称	牵头 单位	所在 位置	建设 状态	设施 类型	建成 时间
"十二五"期间					
海底观测大科学工程	同济大学、中国科学院声学所	上海	建成	公益基础设施	2022
高能同步辐射光源验证装置	中国科学院高能物理研究所、北京科技大学	北京	建成	公共实验平台	2019
加速器驱动嬗变研究装置	中国科学院广州分院、中国科学院近代物理研究所	广东惠州	在建	专用研究装置	预计2025
综合极端条件实验装置	中国科学院物理所、吉林大学	北京	建成	公共实验平台	2021
强流重离子加速器	中国科学院近代物理研究所、北京大学	广东惠州	在建	专用研究装置	预计2025
高效低碳燃气轮机试验装置	中国科学院工程热物理所、江苏中国科学院能源动力研究中心	江苏连云港	建成	专用研究装置	2021
高海拔宇宙线观测站	中国科学院成都分院、中国科学院高能物理研究所	四川稻城县	建成	专用研究装置	2021
空间环境地面模拟装置	哈尔滨工业大学、中国航天科技集团公司	哈尔滨	建成	专用研究装置	2022
转化医学研究设施	上海交通大学、四川大学	上海	建成	公共实验平台	2019

续表

设施名称	牵头单位	所在位置	建设状态	设施类型	建成时间
中国南极天文台	中国科学院紫金山天文台	南极内陆	建成	专用研究装置	2020
精密重力测量研究设施	华中科技大学、中国科学院测量与地球物理所、中国科学院物理与数学所、中国地质大学（武汉）、中山大学	武汉	建成	专用研究装置	2022
大型低速风洞	中国空气动力研究与发展中心	四川绵阳	建成	公共实验平台	2022
上海光源线站工程	中国科学院上海应用物理研究所	上海	在建	公共实验平台	预计2024
模式动物表型与遗传研究设施	中国农业大学、中科院昆明动物所	昆明保定涿州	建成	专用研究装置	2022
地球系统数值模拟器	中国科学院大气物理所、清华大学、中科曙光、中国气象局	北京	建成	公共实验平台	2021
"十三五"期间					
空间环境地基综合监测网(子午工程二期)	中国科学院国家空间科学中心、中国地震局地球物理研究所、北京大学等14家单位	北京	建成	公益基础设施	2022

续表

设施名称	牵头单位	所在位置	建设状态	设施类型	建成时间
大型光学红外望远镜 LOT	中国科学院国家天文台	北京	未开工	专用研究装置	/
极深地下极低辐射本底前沿物理实验设施	清华大学	北京凉山	在建	专用研究装置	预计2025
大型地震工程模拟研究设施	天津大学	天津	建成	专用研究装置	2022
聚变堆主机关键系统综合研究设施	中国科学院等离子体物理研究所	合肥	在建	专用研究装置	预计2025
高能同步辐射光源	中国科学院高能物理研究所	北京怀柔	在建	公共实验平台	预计2025
硬 X 射线自由电子激光装置	上海科技大学、中国科学院上海应用物理研究所、中国科学院上海光学精密机械研究所	上海	在建	公共实验平台	预计2025
多模态跨尺度生物医学成像设施	北京大学	北京怀柔	建成	专用研究装置	2022
超重力离心模拟与实验装置	浙江大学	杭州	在建	专用研究装置	预计2024
高精度地基授时系统	中国科学院国家授时中心	西安北京合肥	在建	公益基础设施	预计2025

3.3　部分国内大科学装置介绍

大科学装置作为创新能力建设的重要组成部分，在我国的科技布局中扮演了重要角色，取得了重要的成就。遵循国家大科学装置集群化发展的原则，上海张江综合性国家科学中心、北京怀柔综合性国家科学中心、安徽合肥综合性国家科学中心、大湾区综合性国家科学中心相继获得国家批复。设施集群也是上海科创中心、北京科创中心以及粤港澳大湾区科创中心的重要组成部分，必将为所在区域落地实施创新驱动发展战略和为我国建成世界科技强国贡献卓越力量。

3.3.1　北京正负电子对撞机

建在北京西郊八宝山东侧中国科学院高能物理所内的北京正负电子对撞机(Beijing Electron Positron Collider, BEPC)总占地约五万平方米，总投资为 2.4 亿元人民币，于 1988 年第一次完成正负电子对撞实验，并在两年后顺利通过项目验收并荣获国家科技进步特等奖。北京正负电子对撞机 BEPC 的主要构成包括注入器(BEL)、输运线、储存环、北京谱仪(BES)和同步辐射装置(BSRF)五部分 [29]。其中，注入器(BEL)通过长 200m 的直线加速装置将注入储存环的正负电子束赋能至 1.1～1.55GeV；注入器输出的高能正负电子束通过输运线传送至储存环内；储存环通过周长 240.4m 的环型加速装置将注入器输入的高能正负电子束进一步加速至所需能量，并储存便于后期试验；北京谱仪(BES)安装在储存环南侧的对撞点，是正负电子对撞后用于高能物理探测的大型研究装置；同步辐射装置(BSRF)安装在储存环的第三区及第四区，它将碰撞生成的负电子经过弯转磁铁和扭摆器时发出的同步辐射光引导至各实验站。BEPC 具备两种运行模式以支撑其开展 τ 轻子、粲物理与同步辐射研究，其一是专用模式，主要针对同步辐射研究；其二是兼容模式，在输出同步辐射光的同时开展高能物理对撞实验。BEPC 总体结构如图 3-2 所示。

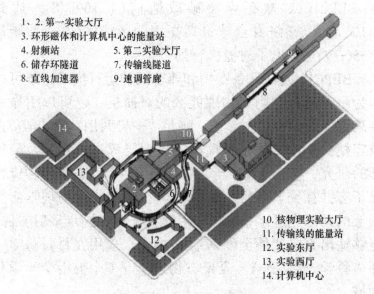

1、2. 第一实验大厅
3. 环形磁体和计算机中心的能量站
4. 射频站　　　　　5. 第二实验大厅
6. 储存环隧道　　　　7. 传输线隧道
8. 直线加速器　　　　9. 速调管廊

10. 核物理实验大厅
11. 传输线的能量站
12. 实验东厅
13. 实验西厅
14. 计算机中心

图 3-2　BEPC 总体结构框图

为了进一步提升第一代 BEPC 的性能，满足高能物理实验的新需求，我国于 2003 年再次启动了北京正负电子对撞机重大改造工程 BEPCII，投资人民币 6.4 亿元人民币，改造进程从 2004 年启动至 2008 年完工，次年顺利通过项目验收，并于 2016 年荣获国家科技进步奖一等奖，成为我国最具创新性的大科学工程之一。BEPCII 改造项目涵盖升级完善一系列通用设施以及注入器，重新建设了双储存环对撞机和北京谱仪 BESIII，在粒子加速及探测、电子学优化设计、系统集成和项目管理等诸多方面实现重大突破。自 BEPCII 建成以来，实现多项性能突破：2009 年在对撞亮度这个主要性能指标上，BEPCII 比 BEPC 提升 30 余倍，大幅超越验收标准，达到 $3.2 \times 10^{32}/cm^2/s$；2016 年 BEPCII 对撞亮度突破改造前的 100 倍，达到 $1 \times 10^{33}/cm^2/s$，跻身全球最高亮度的粲能区(质心系能量 3～5GeV)正负电子对撞机行列[30]。

BEPCII 同样具备专用和兼容两种运行模式，既可以作为一台运行在陶粲物理能区的对撞机，也可以用作一台高性能的同步辐射装置，满足"一机两用"的功能。在兼容模式下用作粒子对撞机，主要支撑强子物理及粲物理的研究，包括寻找胶球、混杂态、多夸克态等多种奇特强子态并探究其特性，确保我国在陶粲能区物理学研究领域的国际先进水平；在专用模式下用作同步辐射光源，能够输出真空紫外至硬 X 波段的光，应用在材料科学、环境科学、生物医学、凝聚态物理学等多个前沿交叉学科领域。

BEPC 建成及 BEPCII 改造后在高能物理学领域取得了一系列具备国际影响力的科研成就，包括基于 BEPC 精确测量 τ 轻子质量、精确测量 20～50 亿电子伏特能区正负电子对撞强子反应截面数值(R 值)、发现"质子-反质子"

质量阈值时的新共振态、发现新粒子 X(1835)等；在 BEPCII
之上首次发现"四夸克物质"带电类粲偶素 Zc(3900)和
Zc(4020)、首次使用近阈数据开展粲重子 Λc 衰变的直接测
量、发现超子极化并应用于寻找物质反物质不对称性来源
等。这一系列重大科研成果都引起了全球高能物理学界的
广泛关注，为进一步夯实我国在粲物理学研究领域的国际
领先地位打下坚实基础。

3.3.2　上海光源

由中国科学院和上海市政府共同投资超 14 亿元人民
币兴建的中国首台中能第三代同步辐射光源——上海光源
(Shanghai Synchrotron Radiation Facility，SSRF)坐落于浦东
新区张江高科技园区内，于 2004 年 12 月 25 日开工建设，
2009 年 4 月 29 日竣工，5 月 6 日正式对用户开放，总体性
能位居国际先进水平。上海光源首批建成 7 条光束线站，
2015～2018 年期间，"梦之线"、蛋白质设施 5 线 6 站、
SiP·ME2 研究平台等陆续建成，目前共有 15 条光束线 19
个实验站开放运行。

类似于国外大部分的同步辐射光源，上海光源的主要
构成包括直线加速器、增强器、输运线、储存环、光束线
及实验站等多个部分，上海光源结构如图 3-3 所示[31]。电
子直线加速器、增强器以及低能和高能输运线构成了
SSRF 的全能量注入器。一台 150MeV 电子直线加速器将
输入的电子束加速到 150MeV，再经由低能输运线注入至
一台周长 180m 的 3.5GeV 增强器，电子束能量被再次提
升到 3.5GeV，并经由高能输运线注入到电子储存环。由

注入器、弯转磁铁、高频、束测、插入件和控制等组件构成的电子储存环其实是一台周长 432m 的环形加速器，主要用来储存 3.5GeV 的高能电子束并可激发高品质的同步辐射光。高能电子束沿着储存环的环形束流轨道周而复始地循环往复，并在磁场作用力下转变运动轨迹时沿切线方向释放同步辐射光，且被光束线及实验站所接收，高频系统则用以及时补充损失的电子束能量。上海光源主要性能指标如图 3-4 所示。上海光源首批建造的 7 条光束线站和 1 条分时运行的分支线站，于 2009 年 5 月 6 日开始对国内用户开放试运行。新建的蛋白设施 5 线 6 站和梦之线 2015 年验收后已正式投入运行。

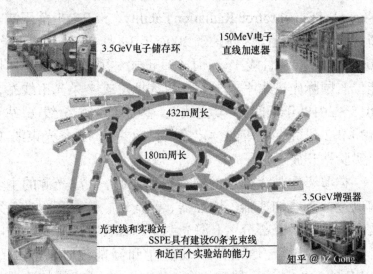

图 3-3　上海光源结构框图

直线加速器	能量150MeV:
	单束团模式1ns,1nC,多束团模式200 ns,3nC:
	中心能量稳定性0.5%:能散度0.5%
增强器	注入能量150MeV:引出能量3.5GeV:
	自然发射度<105nm·rad: 重复频率2Hz:
	单束团流强>1mA,多束团流强>5mA:能散$<1\times10^{-3}$
储存环	恒流模式运行,电子束能量3.5GeV:流量240 ± 0.5mA
	自然发射度3.9nm·rad:能散度1×10^{-3}:
	轨道稳定度<1μm:束流寿命>16小时

图 3-4 上海光源主要性能指标

SSRF 最为核心的储存环具有 300mA 的平均流强, 4nm 弧度的最小发射度, 大于 10 小时的束流寿命。如果配备相应的插入件, 可在用户需求最为集中的 0.1～40keV 光子能区产生高耀度、高通量的同步辐射光。储存环由 40 块弯转二极磁铁、16 个 6.5m 长标准直线节、4 个 12m 长超长直线节构成, 具备支撑 60 余条多种光束线的能力, 可同时供光给近百个实验站使用。项目一期兴建了 5 条基于插入件的光束线站(硬 X 射线微聚焦及应用线站、软 X 射线扫描显微线站、生物大分子晶体学线站等), 以及 2 条基于弯转磁铁的光束线站(X 射线散射线站和高分辨衍射线站), 另外, 还建造了 1 条基于软 X 射线的干涉光刻分支线站。

SSRF 每年供光大于 5000h, 可容纳数百名研究人员在近百个实验站同时利用输出的同步辐射光开展多学科领域前沿交叉研究和高新技术产业应用研发。

上海光源具备一系列特性, 包括波长范围广、强度亮度高、准直性相干性稳定性好、偏振度高、可精准计算等, 相比于国内外其他光源性能更加突出。SSRF 既是物理、化学、材料、信息、环境、生物等多学科领域前沿交叉研究不可或缺的先进平台，也是半导体、生物制药、新能源、新材料等高新技术产业应用研发独一无二的综合手段。上海光源大科学工程的顺利实施将直接带动我国高稳定建筑技术、超大系统自动控制技术、精密机械加工业和电子信息工业等相关技术及工业的突飞猛进，还将间接助推我国多学科领域的交叉研究和各高新产业的技术开发。

运行十多年来，上海光源已成为我国科学研究与技术发展的强大支撑平台，为多学科领域的交叉研究和各高新产业的技术开发提供强有力的实验手段，助力生命科学、结构生物学、材料科学、微电子学、医学等领域取得一系列具有国际影响的重要成果。例如，利用上海光源生物学家们可以解析大分子的 3D 结构，并快速精准地测定蛋白质三维晶体；使用上海光源输出的高亮度 X 射线光束揭示晶体材料、高分子材料、纳米催化剂、半导体磁性材料、铁基超导材料等新材料的结构及性能；利用 SSRF 提供的 X 光进行深度刻蚀，可以研制人眼难以分辨的微型传感器、微型马达、微型泵阀等微机电系统，并实现对半导体晶圆的"精雕细刻"；利用上海光源的双色减影技术，可为心血管病患者作早期筛查。除此之外，在环境科学、生物医学、地质考古等诸多领域，我国科学家利用上海光源开展了多方面、有特色的研究工作，包括毒性元素与化合物在植物中的输运过程与毒性机理、水污染治理中悬浮颗粒携氧机制、心脑血管与肿瘤医学成像、古生物胚胎化石分化研究等，有力地推动了相关学科的发展[32]。

3.3.3 全超导托卡马克核聚变实验装置

我国第一台大型超导托卡马克装置 HT-7 于 1994 年在中科院等离子体物理研究所建成投用，它标志着我国成功步入超导托卡马克研究领域。基于 HT-7 的研究积累，1998 年其升级版——大型非圆截面全超导托卡马克核聚变实验装置 HT-7U 再次入选"九五"国家重大科学工程之列，项目总经费为 1.65 亿元人民币，并在 2003 年重新命名为 EAST(Experimental and Advanced Superconducting Tokamak)，使我国成为全球开展大型核聚变实验装置研究的少数国家之一，凸显出我国在核聚变研究领域的先进性。

大型非圆截面全超导托卡马克核聚变实验装置(EAST)于 2007 年正式投入运行，是我国自主研制的全球首个实际运行的全超导托卡马克装置，其具备全超导、主动冷却、非圆截面三大内部结构特征，尤其便于研究等离子体稳态模式下的运行特性。虽然，与国际热核聚变实验堆 ITER 比较 EAST 的体积相对较小，但是两者的位形相似且后者更具灵活性，因此基于 EAST 的工程实践和科学研究可作为未来国际热核聚变实验堆(International Thermonuclear Experimental Reactor，ITER)和中国聚变工程实验堆(China Fusion Engineering Test Reactor，CFETR)的有益参考和借鉴，是支撑全球核聚变研究不可多得的大科学装置。目前 ITER 仍处在项目建设阶段，计划于 2025 年启动调试运行，在此之前，EAST 将作为全球屈指可数的热核聚变装置开展与 ITER 近似的超稳态等离子体实验研究。近年来，EAST 辅助加热系统正式投入运行，EAST 已经拥有多种 ITER 相同的高功率辅助加热和电流驱动手段，加上一批新诊断的建成，EAST 物理研究能力得到了极大的提升，为未来开展高水平的科学实验奠定了坚实的基础。EAST 的内外部结构如图 3-5 所示。

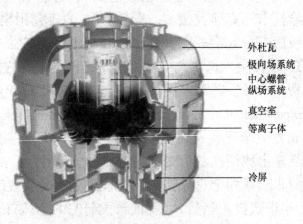

外杜瓦
极向场系统
中心螺管
纵场系统
真空室
等离子体

冷屏

图 3-5　EAST 的内外部结构图

基于全超导托卡马克 EAST 装置的科学研究聚焦核聚变能生成技术的国际前沿，汇聚国内外相关资源，探索追求等离子体稳态运行模式，力争突破安全、稳定、高效的先进托卡马克聚变反应堆基础理论及工程实践难题，为后续中国聚变工程实验堆 CFETR 的设计、建造和运行提供翔实科学依据，也为即将建成投用的国际热核聚变实验堆 ITER 提供工程运行管理经验和科学物理实验基础。其主要学术研究方向包括：全超导托卡马克稳态运行条件下的工程物理问题；近堆芯、稳态等离子体的实时控制及安全运行；稳态高功率加热条件下新的物理问题，特别是高能粒子相关行为；稳态先进运行模式探索及其等离子体约束和输运行为；稳态先进运行模式下等离子体稳定性和控制；

全金属壁条件下的稳态偏滤器物理和等离子体与金属壁之间的相互作用；未来反应堆加热、诊断及控制技术等。

　　EAST 的建成和投入运行受到了国际同行的高度赞誉，《科学》和《自然》杂志曾先后专题报道。项目成果同时入选 2006 年的"中国基础研究十大新闻"以及"中国十大科技进展"，并荣获 2008 年度国家科学技术进步一等奖，项目团队也被授予 2013 年度国家科技创新团队奖。EAST 装置投入运行以来，物理实验取得一系列具有国际先进水平的成果：2009 年，EAST 获得了稳定、可控、可再现的多于 1 分钟非圆截面等离子体放电，这是国际上首次分钟级的非圆截面等离子体放电。2010 年，EAST 实现了其首个科学目标，即在中等密度($2\sim3\times10^{19}\mathrm{m}^{-3}$)条件下输出稳定可持续的 1mA 等离子体放电电流，这也是当时超导装置上所能够获得的最高指标。2012 年，EAST 再次打破最长时间等离子体放电世界纪录，完成了持续 411s、中心电子温度高于 2000 万度、中心等离子体密度超 $2\times10^{19}\mathrm{m}^{-3}$ 的高温等离子体放电，标志着我国在稳态高约束等离子体研究方面已走到国际前列。2013 年，第一次实现了利用射频波约束边界局域模，并提供了一种比利用外加共振磁场线圈技术更为简单的、更与反应堆相关的边界局域模控制技术。2014 年，实验中发现托卡马克高约束模式等离子体台基区多种相干模式共存，在世界上第一次实现重复的完全抑制边界局域模稳态长脉冲高约束等离子体，获得了湍流驱动剪切流在 L-H 转换中扮演重要角色的关键实验证据。2016 年，EAST 辅助加热系统投入运行 1 年后，EAST 等离子体物理参数达到放电时间 100s、等离子体温度 5000 万度。在

2017 年物理实验中，EAST 再获重大突破：在纯射频波加热、钨偏滤器等内外部环境接近于 ITER 的运行条件下，实现了高达 101.2 s 的稳态长脉冲高约束等离子体运行，打破了原有世界纪录，标志着 EAST 成为全球首个实现稳态高约束模式运行持续时长超百秒的托卡马克装置。2018 年，EAST 在同样内外部环境接近于 ITER 的运行条件下，在超低碰撞区完成中心电子温度超过 1 亿度的完全非感应等离子体放电，是 EAST 顺利实现其科学目标的又一重要里程碑。2021 年，EAST 成功实现可重复的 1.2 亿摄氏度 101s 和 1.6 亿摄氏度 20s 等离子体运行，将 1 亿摄氏度 20s 的原纪录延长了 5 倍。以上这些突破性的科学成就极大加速了 EAST 完成其总体科学目标的进程。EAST 作为全球最重要的核聚变科研平台之一，其一直与美国、欧盟、俄罗斯、日本以及国际热核聚变实验堆 ITER 等全球主要核聚变研究国家和地区以及相关组织机构保持良好合作，已被美能源部列为对外合作的首选。

3.3.4　500m 口径球面射电望远镜

500m 口径球面射电望远镜 FAST(Five-hundred-meter Aperture Spherical radio Telescope)位于中国贵州省黔南布依族苗族自治州境内，是我国"十一五"期间的重大科技基础设施项目之一，总共耗资 11.5 亿元人民币。FAST 于 2011 年 3 月动工兴建；2016 年 9 月初步建成，并进入调试周期；2020 年 1 月顺利通过国家验收，正式开放运行。FAST 创新性地运用新模式以建造大口径的巨型望远镜，它选址于贵州喀斯特地貌区的一个洼坑作为望远镜台址。作为全球最大单口径射电望远镜，FAST 由 4450 块光反射面板构成了 30 个标准足球场大小的接收面，其接收灵敏度 2.5 倍于世界第二大望远镜——位于波多黎各由美国国家科学基金会 NSF 管理的阿雷西博射电望远镜，FAST 极大地拓展了人类观察宇宙的视野。

相比于同类型的大口径射电望远镜，FAST 具备一系列独一无二的特点，包括：①选用自然形成的巨型喀斯特凹地作为望远镜的平台基址；②利用自主创新的主动变形反射面来构建大口径瞬态抛物面，用于汇聚电磁波，并通过改变球差实现全偏振及宽谱带；③基于光机电融合，创新研发索拖动馈源和并联机器人系统，满足 FAST 接收机的快响应和高精度追踪。得天独厚的选址加上自主创新的设计，FAST 作为全球第一大的单口径望远镜突破了射电望远镜的百米极限，并创新了大口径巨型望远镜的建造运行模式，在阿雷西博射电望远镜坍塌的背景下，未来 10～20 年 FAST 将作为世界一流设备承担更为繁重的科研任务。FAST 的组成结构和技术指标分别如图 3-6 和图 3-7 所示[33]。

建造 500m 口径球面射电望远镜涉及高精度定位测量、高灵敏度无线电接收、高性能天线、传感网络及信号处理、大带宽信息传输、大容量数据存储和计算等诸多高新科技领域。与此同时，FAST 的一系列输出成果也将回馈于大型结构工程、高精度动态测量、多波束雷达、大容量光传输以及高性能计算等多个相关技术产业。FAST 的成功落成将为中国制造向信息化、智能化、极限化、绿色化转型提供有益经验。

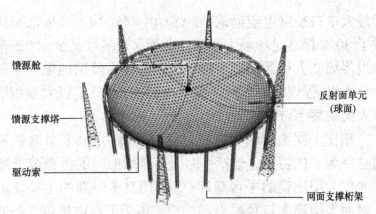

图 3-6　FAST 的组成结构框图

技术指标	
占地面积	280000m²
球发射面	半径300m，口径500m，球冠张角110°～120°
照明口径	300m
焦比	0.467
天空覆盖	天顶角40度，可跟踪时间4～6h
工作频率	70MHz～3GHz
灵敏度 (L波段)	天线有效面积与系统噪声温度至比：200m²/K，系统噪声温度：20K
多波束 (L波段)	19个
换源时间	<10min
跟踪精度	8″

图 3-7　FAST 的技术指标

FAST 设计之初的科学目标涵盖五个方面：①通过大尺度物理学研究探寻宇宙的起源及演化；②通过对脉冲星的观测探究极端条件下的物理规律及物质结构；③主导国际低频其长基线干涉测量，解析天体超精细结构；④通过探寻星际分子解释太空中恒星的形成以及生命的起源；⑤通过搜寻微弱的星际间信号发现可能存在的外星文明。FAST

作为多领域交叉融合的研究平台，经过建成以来一系列的科学实验，将我国遥感测控范围由地球同步轨道拓展到太阳系外沿，同时也将中性氢的探测范围拓展至宇宙边缘，发掘暗物质与暗能量，并努力搜寻第一代天体；在正式运行后的 1 年时间内，FAST 探寻到近 7000 颗脉冲星，并将其到达时间测量精度从 120ns 提升到 30ns，成为全球最为精准的脉冲星计时阵，研制脉冲星钟支撑自主导航前沿研究；FAST 作为全球最大台站加入国际甚长基线网，支持天体超精细结构成像，通过发现中子星而无需依靠模型即可精确测量黑洞质量；FAST 有望观测到奇异星及夸克星物质，还可能探寻到高红移的巨脉泽星系；FAST 通过 1Hz 的高分辨率对微弱的星际通信信号进行微波巡视，用以搜寻识别可能的地球外文明，同时也可用作被动战略雷达服务于国家安全。

截至目前，FAST 在脉冲星探测、射电暴发现、基于中性氢谱线的星际磁场测量等天文前沿领域获得一系列具备国际影响力的重大科研成果。2018 年 4 月，FAST 运行以来第一次发现毫秒脉冲星，并取得国际认证。2019 年 1 月，FAST 与天马望远镜联合观测到甚长基线干涉测量(VLBI)条纹。2021 年 10 月，FAST 在 50 多天里观测到 1652 次快速射电暴(FRB121102)爆发，是目前样本数量最多的射电暴事件，并第一次将研究成果——快速射电暴爆发率的完整能谱及双峰结构发表于《自然》国际学术期刊之上。2022 年 1 月，基于 FAST 第一次测得原恒星核包层中的塞曼效应结果，印证了星际介质从冷中性气体到原恒星核具备连贯磁场结构，是回答恒星形成的经典问题——"磁通量问题"的可靠依据，并以封面文章形式刊发于《自然》国际学术期刊之上。2022 年 3 月，"中国天眼"FAST 观测到快速射电暴并计算出其起源证据，该研究成果被《科学》国际学术期刊成功刊发。

3.4　国内大科学装置问题差距

近年，我国大科学装置体系建设成果丰硕，影响力不断提升，同时也要看到，我国大科学装置还不能完全满足国家经济社会发展需求，其发展现状与世界一流水平相比仍然差距显著。我国大科学装置现状与世界一流水平比较如图 3-8 所示。

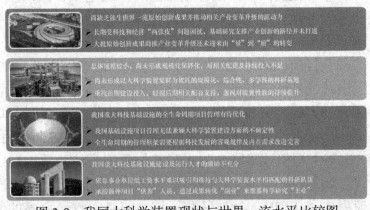

图 3-8　我国大科学装置现状与世界一流水平比较图

第一，我国重大科技基础设施尚缺乏催生世界一流原始创新成果并推动相关产业变革升级的源动力。全球发达国家及地区已有的经验表明，大科学装置具备技术溢出、产业支撑、人才集聚等效应，能够强有力地辐射带动新兴技术产业及高端制造业增长，大幅提升区域整体科技水平和相关产业创新能力，是产业升级和变革的重要"发动机"。当前我国正逢"大科学装置的盛世"，但科技和经济之间的鸿沟始终存在，我国大科学装置给产业所带来的原始创新力的传导速度并不理想，基础研究支撑产业创新的路径并未完全打通，大批原始创新成果助推产业变革升级还未迎来由"量"到"质"的转变。

第二，我国重大科技基础设施整体规模较小，尚未形成规模化、集群化，且对设施相关配建及持续投入不足。已有国际经验表明，重大科技基础设施具有规模集群效应，聚集发展有利于多主体、多领域、多学科协同开展跨界交叉前沿攻关。由于起步较晚、投入有限、数量较少、布局分散等原因，我国目前仍然没有形成以大科学装置集群为依托的规模化、综合性、多学科的科研基地，大科学装置之间的协同优势和综合效益尚未发挥，突破瓶颈制约的科研手段不足，支撑重大科学发现的能力有待提升。重视大科学装置前期建设投入，轻视后期相关配套支持，且忽视对装置性能的持续提升，严重折损了大科学装置的整体先进性。

第三，我国重大科技基础设施的全生命周期项目管理有待优化。大科学装置维护是国际公认的管理难题，成本高、风险大，通常很难符合既定的预算按时完成，严重影响学科内部以及学科之间的资源投入和分配。目前，我国基础设施项目管理无法兼顾大科学装置建设方面的不确定性，整个大科学装置全生命周期的管理框架需要根据科技发展的客观规律及内在需求改进完善。大科学装置的前期预研、中期建设、后期升级都需要更具连贯性、前瞻性和可操作性的政策支持。

第四，我国缺乏面向未来，尤其是与人工智能相关的大科学装置布局。从第四次工业革命的视角看，我国智能制造的发展需要布局 AI 大科学装置，因为每一个智能工厂都会是工业互联网"智能体"，其结果必将是基于大数据智能分析和集群智能的高度智能化。因此，为探索 AI 未知世界、发现 AI 自然规律、引领 AI 技术变革、提供 AI 极限研究手段的大科学装置或系统必不可少。此外，未来几十年，中美围绕人工智能技术高地的争夺，将是科技主赛道的比拼，目前中国还没有让世界信服的"属于中国人自己的人工智能重大科技基础设施"。采取何种人工智能算力体系架构和软硬件布局，是中国科技界现在必须回答，而且绕不开的重大工程科技问题。

第五，我国对重大科技基础设施建设及运行人才的激励不充分。从已有经验来看，大科学工程通常存在一些共性问题，例如个人贡献容易被忽视、难以为核心骨干人员提供激励等。由于我国大型设施建设在国家拨款中不能包含人员支出和激励费用，且相应配套资金预期不稳定又相对滞后，仅仅依靠事业单位较低的工资水平难以吸引和维持与大科学装置水平相匹配的科研队伍。此外，一些大科学装置通过承接额外科研项目来"供养"人员队伍，通过成果转化的"副业"来维系科学研究的"主业"正常运转，某种程度上使得科研人员的持续创新动力和大科学装置的科研效果大打折扣[34]。

第4章 我国未来展望

2013年国务院发布的《国家重大科技基础设施建设中长期规划(2012—2030年)》和2016年发改委会同教育部、科技部等多部委联合发布的《国家重大科技基础设施建设"十三五"规划》指出:未来,我国重大科技基础设施的发展必须顺应世界科技发展趋势、围绕国家重大战略需求,聚焦重大科技基础设施学科布局不合理不均衡、总体数量及原创性设施偏少、科学及经济社会效益发挥不完全等重点问题,预研探索一批前沿设施,系统部署一批重点设施建设,推动一批建成设施运行,有效解决产业和社会发展亟须的科技问题,为科技跨越式发展夯实物质技术基础,强有力地支撑我国向创新型国家行列迈进并建成世界科技强国。除此之外,2018年3月,国务院印发了《积极牵头组织国际大科学计划和大科学工程方案》,提出要提升我国在全球科技创新领域的核心竞争力和话语权。同年12月,《积极牵头组织国际大科学计划和大科学工程战略规划(2020—2035年)》编制启动会在北京召开,并正式开启相关工作。

预期至2030年,初步完成布局完整、技术领先、运行高效的重大科技基础设施体系化建设。传统领域设施持续提升完善,新兴领域设施布局全面,多个世界级的重大科技基础设施集群区域初具规模;一批设施的科学技术指标领先世界，设施管理运行效率位列世界前列；设施的科技、经济及社会效益提升明显，前沿高科技领域研究持续开展，诞生一批具备全球影响力的科学创新成果，一系列推动产业变革、带动产业升级的新技术广泛应用。国家重大科技基础设施的中长期发展规划及目标如图 4-1 所示[35]。

《国家重大科技基础设施建设中长期规划(2012—2030年)》
《国家重大科技基础设施建设"十三五"规划》
《积极牵头组织国际大科学计划和大科学工程方案》
至2030年，初步完成具备布局完整、技术先选、运行高效的重大科技基础设施体系建设

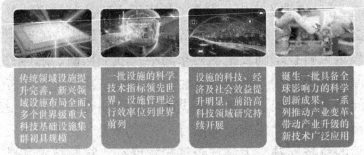

图 4-1　国家重大科技基础设施的中长期发展规划及目标

为了顺利实现我国重大科技基础设施的中长期发展规划及目标，"十四五"期间还需在以下几个方面改善和加强。

一是国家全局统筹规划重大科技基础设施布局，确保多元经费足额投入。我国重大科技基础设施建设正迎来前所未有的机遇期，各地方政府以极大的热情和诚意吸引设施落地以推动区域科技创新驱动发展。应将我国集中力量办大事的制度优势最大化，鼓励地方政府和社会力量加大投入重大科技基础设施的资金规模。同时，应从国家层面自上而下通盘考虑、统筹设计、合理布局，通过国际评估做好遴选工作，确保科学目标和技术的先进性，避免以量

的扩张代替质的提升。深入优化投资结构，基于国家主体投资，鼓励地方政府和企业等其他资金来源投入，形成多元化投入和多渠道融资格局，并最大限度争取国家科技计划支持，充分保障重大科技基础设施建设及运行经费。

二是加强国家重大科技基础设施建设，推动大科学装置与国家实验室紧密结合。未来，我国重大科技基础设施将从物理学领域向多学科领域扩展，聚焦空间和天文、粒子及核物理、海洋和地球系统、生态环境、新型能源、生命健康等优势领域，以提升原创能力和突破重大科技问题为目标，依托有基础的高校和科研院所等优势单位布局一批重大科技基础设施建设，并支持开展科技前沿问题探索。超前规划大科学装置与国家实验室两者之间的衔接，推动大科学装置布局与国家实验室建设紧密结合，强化大科学装置在国家实验室建设及运行中的核心作用，加强运行管理，促进开放共享。

三是统筹布局重大科技基础设施集群化发展，打造具备全球影响力的综合性国家科学中心。未来，我国重大科技基础设施将从传统的单一大科学装置向集群的复杂的综合设施演进，将会形成少数几个布局合理、功能完善的世界级重大科技基础设施群。在北京怀柔、上海张江、安徽合肥、粤港澳大湾区等重大科技基础设施集中的地区，着力打造支撑国家战略、硬件设施一流、学科交叉融合、顶尖人才聚集、氛围自由开放、体制机制灵活的综合性国家科学中心。此外，一些经济发达城市，例如深圳、广州、武汉、成都等，也都在积极申建新的重大科技基础设施，布局下一个综合性国家科学中心。

　　四是结合我国国情，制定科学合理的大科学工程评价标准。具体应该考虑以下四方面：①紧迫性。以"四个面向"为标准评估大科学工程是否满足国家迫切需要，能否提高我国科技影响力，能否带来巨大经济社会效益。②科学性。评估大科学工程是否具有重大的科学目标及意义，能否带来新技术的更新迭代，是否具有技术不可替代性。③成熟性。评估大科学工程理念是否正确合理，相关建设条件是否完备可靠，国内是否有成熟的技术基础，是否储备高水平的人才团队。④国际性。评估大科学工程是否具备全球广泛合作条件，是否有他国提出参与合作申请，是否有他国或相关主体愿意投资等。

　　五是完善国家重大科技设施全生命周期管理机制，促进设施科学、经济、社会效益不断提升。重大科技基础设施的长期性、重要性、复杂性都决定了需要进一步优化事前、事中、事后全流程的监督管理，全程规范和保障其前期立项投资、中期建设运行和后期绩效评估，并建立"优胜劣汰"的调整机制。充分激发重大科技基础设施的科学、经济、社会效益。一方面，让大科学装置全面支撑载人航天、探月工程、大型客机、核心电子器件等国家重大战略科技任务；另一方面，强化新形势下技术及管理方面的宏观战略研究，着眼于如何将大科学装置的巨大科研潜力转化为打通国民经济"瓶颈"的科技创新能力，辐射带动产业转型升级和经济持续增长。

　　六是面向未来技术发展趋势和科技自立自强需求，加强与人工智能相关的大科学装置布局。鹏城云脑有望担当我国人工智能大科学装置重任，投资42亿元的鹏城云脑Ⅱ

连续三次获得世界第一，且核心指标远超第二名的实事，已充分证明这一体系架构和软硬件布局是可行和领先的。后续，我国需要通过比鹏城云脑 II 算力增强 16 倍以上的鹏城云脑 III 建立在国际上具有标志性影响力的大科学装置，取得一批人工智能算力极限指标突破，连续带动我国 GPU、CPU 和人工智能操作系统产业和应用的群体突破，实现中国科技的自立自强。

七是针对重大突发事件应急能力提升，布局大科学装置开展应急管理领域极限科学问题研究。面对我国自然灾害和安全事故易发多发，各种"黑天鹅"与"灰犀牛"事件共生共存的基本国情，全面提高应急能力，构建有效的公共安全防护体系，最大限度降低人员伤亡和国家损失，是我国发展的重大战略需求。突发事件应急管理具备复杂巨系统的多主体、多因素、多尺度、多变性等特征，涵盖事前预备、事发响应、事中处置、事后恢复的全周期和全流程，存在大量共性基础科学问题有待解答。我国尚未形成应急管理科技的源头自主创新能力，急需建设相关大科学装置开展基础性、前瞻性和原创性的科学研究。

八是凝聚多方面多层次的优秀人才，提升设施科学原创性和国产化率。科学繁荣的基本内在条件是人，坚持设施建设与人才发展相辅相成、相互促进，制定人才计划要与设施发展相匹配，在吸引汇聚高层次领军人才的同时也要培养一批创新型人才梯队，打造具有国际竞争力的科研、工程及管理复合型高素质人才队伍。建立健全与设施自身相匹配的人员管理、考核、评价、激励机制，凝聚和稳定一支能够有力支撑重大科技基础设施建设、运行、管理和科研的人才梯队。鼓励技术创新，加强设施的预研预制和关键部件的开发，提升自研技术水平及比重，控制国外技术引进比例[36]。

"路漫漫其修远兮，吾将上下而求索"，打造国家战略科技力量必要且紧迫、任重而道远，我们将大力支持国家实验室建设重大科技基础设施，以"科学重器"为支撑，助推我国由科技大国向科技强国迈进。

作者：何炜　余少华　肖希　陈亮　张新全

参 考 文 献

[1] 白春礼. 强化国家战略科技力量[J]. 求是, 2021: 43-48.

[2] 余少华. 未来网络的一种新范式:网络智能体和城市智能体[J]. 光通信研究, 2018, 210(6): 5-14.

[3] 余少华. 工业互联网联网后的高级阶段:企业智能体[J]. 光通信研究, 2019, (1): 1-8.

[4] 余少华. 数字化网络化智能化进程加快 网络通信技术呈十大特征[N]. 中国电子报, 2018-08-14(7).

[5] 余少华. 网络通信技术的十大特征[N]. 人民邮电报, 2018-08-16(5).

[6] 余少华. 网络通信七个技术墙及后续趋势初探[J]. 光通信研究, 2018, 209(5): 5-11, 28.

[7] 余少华, 何炜. 光纤通信技术发展综述[J]. 中国科学: 信息科学, 2020, 50(1): 1-16.

[8] 陈亮, 余少华. 5G 端到端应用场景的评估和预测[J]. 光通信研究, 2019, (3): 5-11.

[9] 陈亮, 余少华. 6G 移动通信发展趋势初探[J]. 光通信研究, 2019, (4): 1-11.

[10] 钟少颖, 聂晓伟. 美国联邦国家实验室研究[M]. 北京:科学出版社, 2017: 49-87.

[11] 叶云秀, 吕海江. Jefferson 国家实验室(JLab)简介[J]. 原子核物理评论, 2005, 9(1): 17-21.

[12] 美国托马斯杰斐逊国家加速器装置[OL]. http://baike.baidu.com/view/8911684.html.

[13] Tevatron 粒子加速器[OL]. http://baike.baidu.com/view/8587274.html.

[14] 同步辐射加速器[OL]. http://baike.baidu.com/view/1251837.html.

[15] 周勇义, 凌辉, 张黎. 劳伦斯伯克利实验室科研平台的启示[J]. 实验室研究与探索, 2012, 9(1): 34-39.

[16] LCLS-II[OL]. http://baike.baidu.com/view/18762298.html.

[17] 国家点火装置[OL]. http://baike.baidu.com/view/15047722.html.

[18] 全超导托卡马克核聚变实验装置[OL]. http://baike.baidu.com/view/8783640.html.

[19] 深空网[OL]. http://baike.baidu.com/view/1884871.html.

[20] 欧洲同步辐射光源[OL]. http://baike.baidu.com/view/8917715.html.

[21] 大型强子对撞机[OL]. http://baike.baidu.com/view/15723281.html.

[22] 欧洲联合环[OL]. http://baike.baidu.com/view/4438605.html.

[23] 国际热核聚变实验堆计划[OL]. http://baike.baidu.com/view/5398263.html.

[24] 周小林, 李力, 杨云. 大科学计划(工程)规划制定的国际经验及对我国的启示[J]. 全球科技经济瞭望, 2019, 34(3): 46-53.

[25] 吴思多, 辛胜昌, 涂欢, 等. 浅析各国大科学装置管理机制对我国的启示[J]. 科技资讯, 2018, 16(10): 242-244.

[26] 乔黎黎. 重大科技基础设施引领支撑创新型国家发展[J]. 宏观经济研究, 2018, (11): 64-68.

[27] 李泽霞, 魏韧, 曾钢, 等. 重大科技基础设施领域发展动态与趋势[J]. 世界科技研究与发展, 2019, (1): 5-10.

[28] 朱巍, 程艳, 田思媛. 国内重大科技基础设施建设经验及启示[J]. 安徽科技, 2020, (10): 4-8.

[29] 张磊, 樊明武, 董天临. CSNS RCS 环射频腔低电平控制与铌材 RRR 值测量[D]. 武汉: 华中科技大学, 2007, 76-78.

[30] 王健, 王莉. 低温永磁波荡器冷却关键技术的研究[J]. 中国科学院大学, 2017, 12-15.

[31] 上海光源[OL]. http://baike.baidu.com/view/603985.html.

[32] 乔黎黎, 穆荣平. 重大科技基础设施建设运行管理研究——以同步辐射光源为例[D]. 北京: 中国科学院大学, 2016, 53-54.

[33] 500 米口径球面射电望远镜[OL]. http://baike.baidu.com/view/9875260.html.

[34] 王贻芳, 白云翔. 如何依托大科学设施实现科技引领[J]. 科学与社会, 2021, 11(1): 12-23.

[35] 中华人民共和国国务院. 国家重大科技基础设施建设中长期规划(2012—2030 年)[Z]. 2013-02-23.

[36] 王贻芳, 白云翔. 发展国家重大科技基础设施引领国际科技创新[J]. 管理世界, 2020, 5(1): 26-30.